Español

Tercer grado

Secretaría de Educación Pública

Español. Tercer grado fue desarrollado por la Dirección General de Materiales e Informática Educativa (DGMIE), de la Subsecretaría de Educación Básica, Secretaría de Educación Pública.

Secretaría de Educación Pública
Emilio Chuayffet Chemor

Subsecretaría de Educación Básica
Alba Martínez Olivé

Dirección General de Desarrollo Curricular
Hugo Balbuena Corro

Dirección General Adjunta para la Articulación Curricular de la Educación Básica
María Guadalupe Fuentes Cardona

Dirección General Adjunta de Materiales Educativos
Laura Athié Juárez

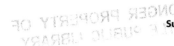

Segunda edición 2011

Coordinación técnico-pedagógica
Dirección de Desarrollo e Innovación de Materiales Educativos, DGMIE/SEP
María Cristina Martínez Mercado, Ana Lilia Romero Vázquez, Alexis González Dulzaides

Autoras
Luz América Viveros Anaya, Érika Margarita Victoria Anaya, Hilda Edith Pelletier Martínez, Elizabeth Rojas Samperio, Martha Judith Oros Luengo, Aurora Consuelo Hernández Hernández

Revisión técnico-pedagógica
Natividad Hermelinda Rojas Velázquez, Virginia Tenorio Sil, Abraham García Peña, Antonio Blanco Lerín, Andrea Miralda Banda

Asesores
Lourdes Amaro Moreno, Leticia María de los Ángeles González Arredondo, Óscar Palacios Ceballos

Coordinación editorial
Dirección Editorial, DGMIE/SEP
Alejandro Portilla de Buen, Pablo Martínez Lozada, Esther Pérez Guzmán

Cuidado editorial
Gloria Medina

Producción editorial
Martín Aguilar Gallegos

Formación
María del Sagrario Ávila Marcial

Tercera edición revisada, 2014 (ciclo escolar 2014-2015)

Coordinación técnico-pedagógica
Dirección de Desarrollo e Innovación de Materiales Educativos, DGMIE/SEP
María Elvira Charria Villegas

Revisión técnico-pedagógica
Dirección de Desarrollo e Innovación de Materiales Educativos (DDIME), Dirección General de Desarrollo Curricular (DGDC)

Coordinación editorial
Dirección Editorial, DGMIE/SEP
Patricia Gómez Rivera, Olga Correa Inostroza

Cuidado de la edición
Érika Lozano Pérez

Corrección de pruebas
Octavio Hernández Rodríguez

Producción editorial
Martín Aguilar Gallegos

Formación
Javier Acevedo Camacho
Iliana Soriano Sánchez

Iconografía
Diana Mayén Pérez

Portada
Diseño de colección: Carlos Palleiro
Ilustración de portada: Gabriela Podestá

Primera edición, 2010
Segunda edición, 2011
Tercera edición revisada, 2014 (ciclo escolar 2014-2015)

D.R. © Secretaría de Educación Pública, 2010
    Argentina 28, Centro,
    06020, México, D.F.

ISBN: 978-607-514-736-9

Impreso en México
DISTRIBUCIÓN GRATUITA-PROHIBIDA SU VENTA

Servicios editoriales (2010)

Cuidado editorial
Ana Laura Delgado, Angélica Antonio, Ana María Carbonell

Diagramación
Perla González, Luis Manuel Reyes, Carlos Palleiro

Ilustración
Carlos Palleiro (pp. 1, 7); Julián Cicero (pp. 8-9, 12, 14, 38-39, 42-44, 46-47); Margarita Sada (pp. 6, 18, 19, 21-29, 34-35); Herenia González (p. 67); Laura González (p. 72); Valeria Gallo (pp. 73, 142); Gabriel Gutiérrez (pp. 96, 103); Erika Martínez (pp. 48-55, 57-58, 60, 62-63); Jorge Porta (pp. 7, 56, 59, 61, 108-115, 146-156); María Campiglia (pp. 6, 78, 80-81, 83, 85-87, 126-133, 135); Mónica Miranda (pp. 88-93, 95, 116-117, 119-120, 122-125).

Agradecimientos
La Secretaría de Educación Pública agradece a los maestros y maestras, a las autoridades educativas de todo el país, a expertos académicos, por colaborar en la revisión de las diferentes versiones de los libros de texto.

La SEP extiende un especial agradecimiento a la Academia Mexicana de la Lengua por su participación en la revisión de la tercera edición revisada, 2014 (ciclo escolar 2014-2015).

La Patria (1962),
Jorge González Camarena.

Esta obra ilustró la portada de los primeros libros de texto. Hoy la reproducimos aquí para mostrarte lo que entonces era una aspiración: que los libros de texto estuvieran entre los legados que la Patria deja a sus hijos.

El libro de texto que tienes en tus manos fue elaborado por la Secretaría de Educación Pública para ayudarte a estudiar y para que conozcas más de las personas y del mundo que te rodea.

Además del libro de texto hay otros materiales diseñados para que los estudies y los compartas con tu familia, como los Libros del Rincón.

¿Ya viste que en tu escuela hay una biblioteca escolar? Todos esos libros están ahí para que, como un explorador, visites sus páginas y descubras lugares y épocas que quizá no imaginabas. Leer sirve para tomar decisiones, para disfrutar, pero sobre todo sirve para aprender.

Conforme avancen las clases a lo largo del ciclo escolar, tus profesores profundizarán en los temas que se explican en este libro con el apoyo de grabaciones de audio, videos o páginas de Internet, y te orientarán día a día para que aprendas por tu cuenta sobre las cosas que más te interesan.

En este libro encontrarás ilustraciones, fotografías y pinturas que acompañan a los textos y que, por sí mismas, son fuentes de información. Al observarlas notarás que hay diferentes formas de crear imágenes. Tal vez te des cuenta de cuál es tu favorita.

Las escuelas de México y los materiales educativos están transformándose. ¡Invita a tus papás a que revisen tus tareas! Platícales lo que haces en la escuela y pídeles que hablen con tus profesores sobre ti. ¿Por qué no pruebas leer con ellos tus libros? Muchos padres de familia y maestros participaron en su creación, trabajando con editores, investigadores y especialistas en las diferentes asignaturas.

Como ves, la experiencia, el trabajo y el conocimiento de muchas personas hicieron posible que este libro llegara a ti. Pero la verdadera vida de estas páginas comienza apenas ahora, contigo. Los libros son los mejores compañeros de viaje que pueden tenerse. ¡Que tengas éxito, explorador!

Conoce tu libro

Este libro busca proporcionarte muchas oportunidades para trabajar con nuestro idioma, y al utilizarlo comuniques conocimientos, ideas, opiniones, argumentos, decisiones y sentimientos.

Contiene cinco bloques, con tres prácticas sociales del lenguaje cada uno, excepto el último, que consta de dos. Al inicio de cada práctica social del lenguaje encontrarás el propósito que se espera alcanzar. Al explorarlo encontrarás actividades que te llevarán a reflexionar sobre las cuatro habilidades lingüísticas: leer, escribir, escuchar y hablar.

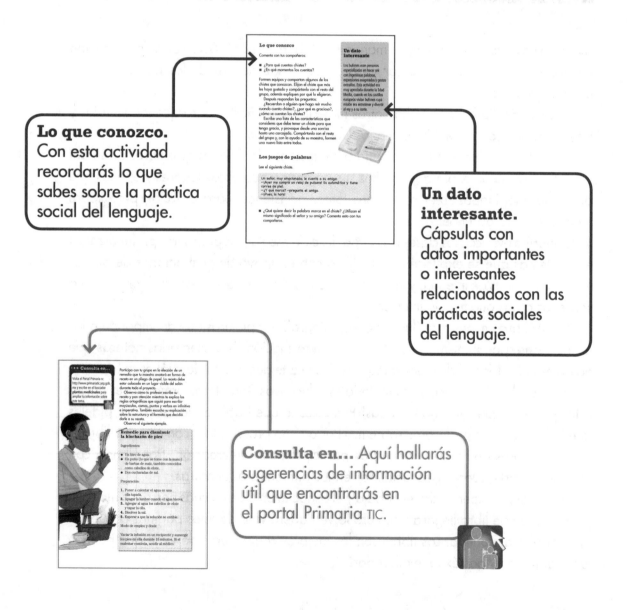

Lo que conozco.
Con esta actividad recordarás lo que sabes sobre la práctica social del lenguaje.

Un dato interesante.
Cápsulas con datos importantes o interesantes relacionados con las prácticas sociales del lenguaje.

Consulta en... Aquí hallarás sugerencias de información útil que encontrarás en el portal Primaria TIC.

Mi diccionario. En tu cuaderno escribirás las palabras nuevas, extrañas o poco comunes que leas o escuches durante este año. En ese cuaderno ensayarás diversas formas de definir, describir y ejemplificar, y formarás tu propio diccionario. Al final del ciclo escolar, te sorprenderá darte cuenta de cuánto ampliaste tu vocabulario.

¡A jugar con las palabras! Son actividades para que te diviertas con nuestro lenguaje.

Producto final. Se refiere a la versión final del texto que escribiste, revisaste y corregiste. La socialización es la etapa final en la que se da a conocer esa versión terminada.

Índice

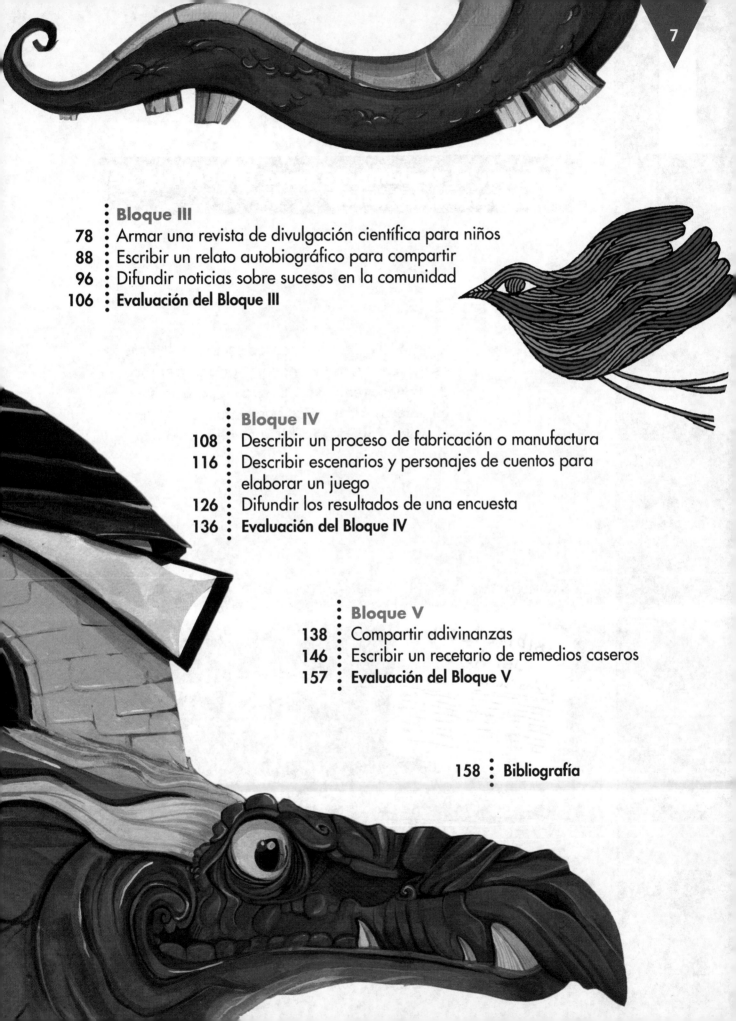

PRÁCTICA SOCIAL DEL LENGUAJE 1

Elaborar el reglamento para el servicio de la biblioteca del salón

El propósito de esta práctica social del lenguaje es que conozcas la función y las características de algunos reglamentos para el uso de las bibliotecas, de manera que tú puedas redactar el reglamento de la biblioteca de tu salón.

Lo que conozco

Comenten con sus compañeros y maestro:

- ¿Saben qué es una biblioteca?
- ¿Quién ha visitado una biblioteca?
- ¿Cómo está organizada una biblioteca?

La organización de nuestra biblioteca

Exploren los libros de la biblioteca del salón y discutan con sus compañeros y profesor cómo organizarlos para facilitar su localización.
Para llevar a cabo la discusión, consideren:

- El espacio disponible para organizarlos.
- El tipo de material con que cuentan: libros, enciclopedias, diccionarios, audiovisuales, revistas, periódicos.
- La forma de clasificación: libros, enciclopedias, diccionarios...

La información de los reglamentos

Conversen acerca de si conocen algún reglamento, de qué trata y cuál es su función; en particular revisen los reglamentos que tienen las bibliotecas para el uso de los libros.

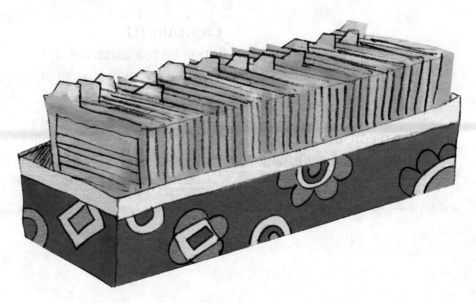

Reglamento de la Biblioteca Municipal José Vasconcelos

La finalidad de este reglamento es establecer las normas para el uso de la biblioteca.

Capítulo I
Aspectos generales

Artículo 1. Podrá usar esta biblioteca cualquier ciudadano que lo requiera.

Artículo 2. Al ingresar a la biblioteca será necesario mostrar una identificación y registrarse.

Artículo 3. Esta biblioteca presta sus servicios de lunes a viernes de 8:00 a.m. a 7:00 p.m., y sábados de 8:00 a.m. a 2:00 p.m.

Capítulo II
Servicios que ofrece

Artículo 4. Préstamo interno.
   a) El servicio es de estantería abierta y se pueden utilizar un máximo de tres libros a la vez.
   b) Los libros requieren acomodarse en los estantes asignados cuando terminen de utilizarse.

Artículo 5. Préstamo a domicilio.
   a) Tramitar la credencial de la biblioteca.
   b) Llenar una ficha de préstamo a domicilio por cada libro solicitado.
   c) Solicitar un máximo de tres libros por un plazo no mayor a siete días.
   d) Entregar los libros en la fecha establecida.

Capítulo III
Obligaciones de los usuarios

Artículo 6. Al hacer uso de la biblioteca los usuarios se comprometen a:
   a) Usar adecuadamente y cuidar el acervo.
   b) Leer en silencio.
   c) No consumir alimentos ni bebidas dentro de la biblioteca.
   d) Sustituir los libros y materiales que se dañen o extravíen.

Contesten las siguientes preguntas:

■ ¿Cómo está organizado su contenido?
■ ¿De qué tratan los capítulos II y III?

En parejas comenten sus respuestas al grupo.

Verbos en infinitivo

En el reglamento anterior, localiza la primera palabra de todas las oraciones del Artículo 5 y escríbelas en el siguiente recuadro.
Responde en tu cuaderno las preguntas de la página siguiente.

Un dato interesante

Entre los años 669 y 627 antes de nuestra era, Asurbanipal, el último rey de Asiria, formó la biblioteca del Nínive, una de las más grandes del mundo antiguo. Esta biblioteca consistía en una colección de aproximadamente 5 000 tablillas de arcilla con textos escritos con punzones de hueso y madera, que guardaban en cestos.

Dimiter Inkiow y Rolf Rettich, *El libro del libro. De la escritura a la fabricación*, México, SEP-Siglo XXI Editores-Ediciones Akal, 2004 (Libros del Rincón).

- ¿Qué tienen en común las palabras que escribieron?
- ¿Quién realiza las acciones que indican esas palabras?

Compara tus respuestas con las de tus compañeros.

Las palabras que escribiste en el recuadro son verbos escritos en infinitivo que pueden terminar en *ar, er* o *ir*.

Estos verbos se utilizan en oraciones impersonales en las que no se especifica la persona que realiza la acción del verbo.

Reglamentos de las bibliotecas

En grupo, lean en voz alta los siguientes reglamentos.

REGLAMENTO DE LA BIBLIOTECA PÚBLICA
ROSARIO CASTELLANOS

Este reglamento tiene como propósito dar a conocer las condiciones para el uso de los acervos bibliográfico, hemerográfico y audiovisual que resguarda esta biblioteca.

CAPÍTULO I
Aspectos generales

Artículo 1. Toda persona que lo requiera podrá hacer uso del acervo de esta biblioteca, siempre y cuando cumpla con los requisitos que se mencionen para cada caso.

Artículo 2. Para entrar deberá registrar sus datos (nombre y dirección) en la libreta que se encuentra en el mostrador indicado.

Artículo 3. Sólo para el caso de requerir préstamo de material a domicilio, será indispensable contar con la credencial de la biblioteca.

Artículo 4. El servicio de la biblioteca está disponible de lunes a domingo, excepto días festivos, en un horario de 9:00 a.m. a 6:30 p.m.

CAPÍTULO II
Servicios disponibles

Artículo 5. Servicio de estantería abierta.

Este servicio es exclusivo para la consulta de enciclopedias, diccionarios, periódicos y revistas, que no podrán ser solicitados como préstamo a domicilio.

Artículo 6. Préstamo interno.

Para solicitar préstamo de libros o material audiovisual se deberá llenar la ficha correspondiente.

Artículo 7. Préstamo externo.

Al solicitar material para préstamo a domicilio el usuario deberá:

a) Entregar una ficha de préstamo a domicilio por cada libro solicitado.

b) Pedir un máximo de cuatro libros por un plazo máximo de 10 días, o para el caso de material audiovisual, por un plazo no mayor a 5 días.

c) Devolver los libros en la fecha establecida.

CAPÍTULO III
Trámite de credencial

Artículo 8.

a) La credencial de la biblioteca es gratuita, personal e intransferible, y su vigencia es de 2 años. Los interesados en tramitarla deberán presentar una solicitud previamente llenada, acompañada de original y copia de comprobante de domicilio, que demuestre que el interesado radica en la misma ciudad donde está ubicada la biblioteca, identificación oficial (credencial de elector, INSEN o pasaporte) o credencial de estudiante en caso de ser menor de edad.

b) Toda la documentación deberá mostrarse en original y copia. Los documentos originales se devuelven después de hacer los cotejos con las copias.

CAPÍTULO IV
Derechos y obligaciones de los usuarios
Artículo 9. Los usuarios deberán:

- Hacer uso correcto de las instalaciones, del acervo y del mobiliario de la biblioteca.
- Usar adecuadamente y cuidar el acervo.
- Evitar introducir alimentos y bebidas.
- Conservar en buen estado los materiales.
- Guardar silencio para no interrumpir a los demás usuarios.

Biblioteca Comunitaria Nezahualcóyotl
Reglamento

La Biblioteca Comunitaria Nezahualcóyotl cuenta con un acervo bibliográfico de 2 000 ejemplares en estantería abierta, videoteca, mesas de trabajo, área de cómputo y sala de lectura infantil. El servicio de la biblioteca es de lunes a viernes de 8:00 a.m. a 6:00 p.m. y sábados de 9:00 a.m. a 5:00 p.m.

Usuarios
El servicio de la biblioteca está disponible para el público en general.

Servicios
Los servicios que esta biblioteca ofrece son:

- Fomento de la lectura. Círculo de lectura. Sesiones de lectura infantil y juvenil en voz alta.
- Taller de encuadernación.
- Sala de cómputo.

Derechos
Los usuarios pueden:

- Solicitar préstamo a domicilio con la credencial de la biblioteca o cualquier otra identificación oficial.
- Asistir a las actividades programadas para el fomento a la lectura y talleres.

Obligaciones
Los usuarios deberán:

- Registrar su nombre y dirección al entrar.
- Utilizar adecuadamente las instalaciones y los materiales de la biblioteca.
- Cuidar el material y evitar hacer marcas, anotaciones o subrayados.
- Reportar a los encargados cualquier falla que observen.
- Permanecer en silencio en las mesas de trabajo para no interrumpir a los demás.
- No comer dentro de las instalaciones.

Reglas para el uso de nuestra biblioteca

En equipo, conversen acerca de los reglamentos que han leído hasta el momento y la conveniencia de tener uno propio para la biblioteca del salón. Acuerden qué servicios conviene ofrecer, quiénes serán los usuarios y qué reglas consideran importante incluir para su buen funcionamiento. Escriban la información en el pizarrón.

Con ayuda de su maestro decidan cómo organizar la información que tienen: qué reglas deben ir primero, cuáles después. Pueden consultar los reglamentos que leyeron anteriormente.

Nuestro reglamento

En el pizarrón y con ayuda del profesor elaboren un borrador del reglamento: enumeren las reglas y acuerden cómo redactarlas. Recuerden que las reglas inician con un verbo en infinitivo. Al terminar, copien el texto en su cuaderno.

Decidan en grupo un título para su reglamento.

Revisen el borrador del reglamento y verifiquen que:

- Usaron correctamente las mayúsculas al inicio de oraciones y después de un punto.
- Separaron adecuadamente las palabras.
- Emplearon punto para separar oraciones.
- Las oraciones comenzaron con un verbo en infinitivo.
- Se entiende lo que está escrito.
- No falta información que sea importante.

●●● Consulta en...

Para saber más de este tema entra al portal Primaria TIC <http://basica.primariatic.sep.gob.mx/> y en el buscador anota: reglamentos **para biblioteca.**

Producto final

Una vez que hayan realizado las correcciones, escriban la versión final del reglamento en un pliego de papel. Colóquenlo a la vista de todos.

Autoevaluación

Es tiempo de revisar lo que has aprendido después de trabajar en esta práctica. Lee cada enunciado y marca con una palomita (✓) la opción con la cual te identificas.

	Lo hago muy bien	Lo hago a veces y puedo mejorar	Necesito ayuda para hacerlo
Conozco las características de un reglamento.			
Utilizo modelos para la redacción de un reglamento.			
Reviso que la puntuación sea correcta en mi reglamento.			

Marca con una palomita (✓) la opción que exprese la manera como realizaste tu trabajo:

	Siempre	A veces	Me falta hacerlo
Participo en la realización de tareas conjuntas al redactar el reglamento.			
Respeto el reglamento de la biblioteca.			

Me propongo mejorar en: _____

_____

PRÁCTICA SOCIAL DEL LENGUAJE 2

Contar y escribir chistes para publicarlos

El propósito de esta práctica social del lenguaje es contar y escribir chistes para publicarlos en el periódico escolar; esto lo harás al identificar las diferencias entre el lenguaje oral y el lenguaje escrito y utilizar juegos de palabras.

Lo que conozco

En grupo, comenten:

- ¿Para qué cuentas chistes?
- ¿En qué momentos los cuentas?

Formen equipos y compartan algunos de los chistes que conozcan. Elijan el chiste que más les haya gustado e intercámbienlo con el resto del grupo, además, expliquen por qué lo seleccionaron.

Después respondan las preguntas:

¿Recuerdan a alguien que haga reír mucho cuando cuenta chistes?, ¿por qué es gracioso?, ¿cómo se cuentan los chistes?

Escriban una lista de las características que consideren que debe tener un chiste para que tenga gracia y provoque desde una sonrisa hasta una carcajada. Compártanla con el resto del grupo y, con la ayuda de su maestro, formen una nueva lista entre todos.

Los juegos de palabras

Lee el siguiente chiste.

> Un señor, muy emocionado, le cuenta a su amigo:
> —¡Ayer me compré un reloj de pulsera! Es automático y tiene correa de piel.
> —¿Y qué marca? —pregunta el amigo.
> —¡Pues, la hora!

- ¿Qué quiere decir la palabra *marca* en el chiste? ¿Utilizan el mismo significado el señor y su amigo? Comenta esto con tus compañeros.

¿Entendiste el doble significado de la palabra *marca*? A ese juego de palabras se le llama *doble sentido*, y es, entre otras cosas, lo que hace que un chiste sea gracioso. ¿Por qué se llamará *doble sentido* a este juego de palabras?

Lee los siguientes chistes y explícales a tus compañeros cuáles son los juegos de palabras que se emplean.

Un niño entra a una óptica y le dice al vendedor:
—Quiero comprar unos lentes, por favor.
El vendedor le pregunta:
—¿Para el Sol?
Y el niño responde:
—No, ¡para mí!

—Jaimito, ¿cuánto es dos por dos?
—Empate.
—¿Y cuánto es dos por uno?
—¡Oferta!

Un señor, muy molesto, llama al mesero:
—¡Mesero, este plátano está blando!
El mesero, un poco apenado y sin saber qué hacer, contesta:
—No se preocupe, señor. ¡En este momento le ordeno que se calle!

Dos perros hablan en la calle acerca de sus vidas:
—Mi dueño me dice "Foforito" y me gusta.
—Pues a mí me dicen "Bájate del sofá", y no me gusta mucho.

Los chistes

Pide a tus familiares, amigos u otras personas de tu comunidad que te cuenten chistes. Escríbelos en tu cuaderno y, en clase, forma equipos con tus compañeros para leerlos en voz alta. Seleccionen algunos y cuéntenlos al resto del grupo. Para ello, tomen en cuenta el lenguaje que se utilizó; la forma en que se describieron las situaciones o los lugares, cómo fueron la mímica y el tono de voz.

Hay diferentes tipos de chistes, ¿cómo podrían agruparlos?, ¿por tema, por personajes o de qué otra forma? Reúnan los chistes que escribieron y expliquen las razones por las que lo hicieron así. Anoten la clasificación en su cuaderno.

Escriban las secciones que podría tener un libro de chistes de acuerdo con la clasificación que propusieron, pues estas notas las usarán después.

¿Te ha sucedido que al contar un chiste sólo lo entienden algunas personas? Platica con tus compañeros sobre las razones por las que ocurre eso.

Hay chistes que popularmente se conocen como "locales" porque sólo los entienden las personas que comparten el mismo significado de las palabras, o conocen el suceso al que se está haciendo referencia. Si sabes algún chiste con esas características, cuéntalo y explica a tus compañeros dónde lo cuentan y por qué sólo tiene sentido para un grupo específico de personas. Argumenta qué otros elementos se necesitan para comprender un chiste. Lee los siguientes chistes:

Un día, en el salón de clases, la maestra le dijo a Pepito:
—Pepito, dime una palabra que empiece con d.
—Ayer.
—Ayer empieza con a y no con d —dijo la maestra.
—Es que ayer fue domingo.

En un partido de futbol, los elefantes le iban ganando a los gusanos con un marcador de cincuenta a cero. De repente, el entrenador de los gusanos hace un cambio de jugadores y mete al ciempiés como delantero. El ciempiés comienza a meter un gol tras otro, y al final del partido ganan los gusanos, setenta y cinco a cincuenta. Después, el entrenador de los elefantes, incrédulo, se acerca al grandioso jugador y, luego de felicitarlo, le pregunta por qué no había entrado antes al partido. El ciempiés, un poco apenado, le contesta que estaba terminando de atarse las agujetas de los zapatos.

¿Qué indican los guiones largos del primer chiste? ¿Por qué el segundo chiste no utiliza guiones largos?

Comenta en grupo tus ideas.

Cuando alguien escribe un chiste reproduciendo un diálogo usa guiones largos para indicar que cada personaje dice exactamente lo que está escrito. Esto se denomina *discurso directo*. ¿En qué otro tipo de textos se utiliza este signo ortográfico?

En cambio, cuando un narrador cuenta lo que alguien dijo sin reproducir palabra por palabra, emplea el *discurso indirecto*.

- El discurso directo se refiere al diálogo entre dos personas o más en el mismo espacio y tiempo; para indicar el cambio de persona que habla se utiliza un guion largo al inicio de la oración:

—Buenos días, Camila. ¿Cómo te fue en el examen de ayer?
—Buenos días, Germán. Me fue muy bien. ¿Pudiste ir a visitar a tu abuelita?
—Sí, le llevé unas flores y pasamos una bonita tarde.

- El discurso indirecto, en cambio, es una forma de interpretar lo que se ha hablado en otro espacio y tiempo; además, se usan nexos:

A Camila le fue muy bien en su examen de ayer y le preguntó a Germán si había podido visitar a su abuelita. Éste le respondió que le llevó unas flores y también que pasaron una bonita tarde.

■ Ahora, cambia el siguiente chiste empleando el discurso directo:

Un niño le pregunta a su hermano, que era muy bromista, por qué a algunas personas no les gusta comer caracoles. El hermano le contesta que la razón es porque a esas personas les gusta la comida rápida.

■ Lee nuevamente el chiste en sus dos versiones, escrito como discurso directo y como discurso indirecto. Explica a tus compañeros en cuál de los dos casos se entiende mejor el chiste y causa más gracia.

Signos de interrogación y admiración

■ Lee los siguientes chistes y analícenlos.

—¿A dónde va la hormiga después de ir al jardín?
—Mmm... pues ¡a la primaria!

Un agricultor le comenta a su vecino:
—Hace un mes planté zanahorias. ¿Qué crees que salieron?
El vecino contesta:
—¡Pues zanahorias!
—¡No, salieron conejos y se las comieron todas!

■ ¿Qué signos de puntuación aparecen en ambos casos? ¿Para qué sirven? ¿Cuáles signos gráficos se incluyen? ¿Cómo debe ser la entonación cuando se utilizan signos de admiración o de interrogación?

■ Los signos de admiración (¡!) se escriben al principio y al final de las oraciones o palabras para expresar asombro, alegría, enojo o queja; se utilizan para llamar la atención hacia algo, exagerarlo o enfatizarlo. Los signos de interrogación (¿?) indican que es una pregunta.

¡A escribir chistes!

Los chistes tienen una forma especial de escribirse para que puedan ser entendidos cuando se leen.

Organícense en equipos, elijan un chiste y pidan a su maestro que lo escriba en el pizarrón.

■ Observen qué signos utiliza y para qué lo hace; también, el empleo de los puntos, las comas y las mayúsculas.

■ Ahora que ya tienen un repertorio extenso de chistes, escojan con su equipo los favoritos y piensen dónde ubicarían cada uno de acuerdo con la lista de secciones que elaboraron anteriormente para el libro de chistes.

Escribe los chistes en tu cuaderno. No olvides utilizar de forma adecuada los signos de admiración y de interrogación, y revisa la ortografía. Recuerda que debes escribir lo mejor posible para que se entiendan los chistes y para que quienes los lean se rían. Te sugerimos ilustrarlos.

Practica con el siguiente:

Un niño pregunta a otro:
Qué se pone un super niño después de bañarse
Su capa
Nooooooo su perfume

Corrección de textos

Intercambia tu cuaderno con otro compañero y revisen los chistes que escribieron. Comenten si les falta algo, si se entienden y provocan el efecto deseado, y cómo pueden mejorar la redacción.

Después, escribe en el pizarrón o en hojas de rotafolio algunos de los chistes que revisaron y comenta en grupo cómo mejorarlos para que provoquen más risa. Usa eficazmente las frases y los signos de admiración e interrogación, además del discurso directo o indirecto.

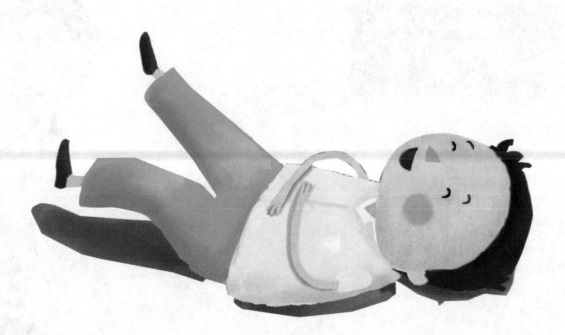

¡A jugar con las palabras!

El grupo deberá dividirse en dos equipos (A y B) para jugar "¡De la palabra al chiste!"

Un representante del equipo A pasará al frente y escribirá en el pizarrón una palabra relacionada con un chiste o juego de palabras que conozca; el equipo B debe pensar rápidamente si conoce un chiste relacionado con esa palabra, y levantará la mano al tiempo que dice: "¡Chiste!" (el tiempo máximo de espera será de treinta segundos) y pasará al frente a compartirlo. En caso de que en el tiempo establecido el equipo B no logré recordar ningún chiste o juego de palabras relacionado con la palabra escrita en el pizarrón, la persona del equipo A que la propuso deberá decir el chiste o juego de palabras. Los turnos se alternarán entre los equipos. ¡Que se diviertan!

Producto final

Cuando tengas los comentarios, realiza las adecuaciones necesarias a los chistes. Una vez revisados y corregidos, entre todos integrarán un libro de chistes. ¿Qué se necesita? Acuerden en grupo el diseño del libro y el papel que utilizarán. Las siguientes preguntas pueden servirles de guía:

- ¿Qué título le pondrán a su libro?
- ¿Qué secciones tendrá: las que ya habían decidido u otras diferentes?
- ¿Harán un solo libro o lo reproducirán para que cada quien tenga su ejemplar?

Recuerden que han revisado muchos libros; todos ellos tenían carátula, índice, capítulos o secciones, ilustraciones, y estaban empastados, engargolados o cosidos.

Integren un ejemplar de su libro de chistes al acervo de la Biblioteca de Aula.

Pueden publicar algunos en el periódico escolar o en el periódico mural.

Autoevaluación

Es tiempo de revisar lo que has aprendido después de trabajar en esta práctica. Lee cada enunciado y marca con una palomita (✓) la opción con la cual te identificas.

	Lo hago muy bien	Lo hago a veces y puedo mejorar	Necesito ayuda para hacerlo
Utilizo juegos de palabras para contar y escribir chistes.			
Identifico las diferencias entre discurso directo e indirecto.			
Uso adecuadamente los signos de admiración e interrogación.			

	Lo hago siempre	Lo hago a veces	Necesito ayuda para hacerlo
Evito ofender a alguien cuando cuento un chiste.			
Cumplo los acuerdos a los que llegué con mi grupo.			

Me propongo mejorar en: _____

_____

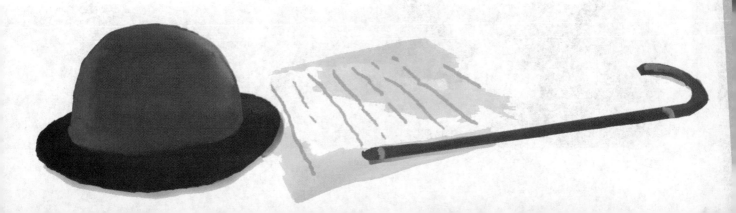

PRÁCTICA SOCIAL DEL LENGUAJE 3

Organizar datos en un directorio

El propósito de esta práctica social del lenguaje es que conozcas las características y función que tienen los directorios, y que elabores uno en el que registres y ordenes alfabéticamente los datos de tus compañeros del grupo.

Lo que conozco

Cuando en tu casa necesitan tener información acerca de un servicio como el de patrullas o ambulancia, o comunicarse con alguna persona, ¿te has fijado si utilizan un directorio?

¿Has visto que algún adulto utilice un directorio para registrar los datos de las personas y servicios que considera importantes?

En un directorio se registran nombres, direcciones y teléfonos de personas o servicios que consultamos con frecuencia; son datos que no queremos olvidar y que podemos consultar de manera rápida y fácil. En algunos lugares se reparten directorios telefónicos; seguramente los vas a identificar porque algunos son de hojas blancas y otros de hojas de color amarillo. Hay directorios personales a los que se les conoce como agendas y tienen la misma función que un directorio telefónico. Comenta la información con tus compañeros y maestro.

Comparemos los directorios

Localiza en la dirección de tu escuela o en tu casa algún directorio y llévalo al salón.

Formen equipos y con la guía del maestro revisen los diferentes directorios que trajeron. Presten atención a su organización y estructura; para ello, pueden guiarse con las preguntas:

- ¿Qué información contienen?
- ¿Cómo se organiza la información?

Cada equipo dé a conocer sus respuestas al grupo y escriban las conclusiones en un pliego de papel, el cual deberán colocar a la vista de todos.

Revisa los siguientes directorios.

Directorio 1

COMPAÑEROS DEL CLUB DE LECTURA	
NOMBRE	NÚMERO TELEFÓNICO
Adela	58-43-20-00
Alfredo	56-14-20-88
Berenice	45-01-83-72
Daniel	73-30-30-03
Héctor	60-26-14-70
Luis	65-13-69-43
Maribel	58-90-32-15
Rosa	54-27-10-53
Santiago	60-03-32-87

Directorio 2

DIRECTORIO FAMILIAR		
Nombre	Dirección	Teléfono
Díaz Robles, Maribel	Cerro de la Estrella 39	58-90-32-15
Díaz Robles, Santiago	Aldama 53	60-03-32-87
Escamilla García, Rosa	Calle 24 #367	54-27-10-53
Familia García Robles	Avenida de los Insurgentes 901	65-13-69-43
Familia García Salas	Río Balsas 75	56-14-20-88
Familia García Tapia	Avenida de los Insurgentes 45	73-30-30-03
Martínez García, Adela	Carretera al Ajusco 1870	58-43-20-00
Martínez García, Berenice	Río Pánuco 94	45-01-83-72
Robles Domínguez, Héctor	Calle 6 #17	60-26-14-70

Directorio 3

Directorio médico		
Especialidad	Nombre del médico	Dirección y teléfono del consultorio
Anestesióloga	Dra. Berenice Martínez García	Río Pánuco 94 45-01-83-72
Cardióloga	Dra. Rosa Escamilla García	Calle 24 #367 54-27-10-53
Gastroenterólogo	Dr. Santiago Díaz Robles	Aldama 53 60-03-32-87
Neuróloga	Dra. Rosa Escamilla García	Calle 24 #367 54-27-10-53
Odontólogo	Dr. Héctor Robles Domínguez	Calle 6 #17 60-26-14-70
Oftalmóloga	Dra. Maribel Díaz Robles	Cerro de la Estrella 39 58-90-32-15
Pediatra	Dra. Adela Martínez García	Carretera al Ajusco 1870 58-43-20-00

Escribe las características principales de los directorios anteriores en la siguiente tabla.

Información que contiene	Directorio 1	Directorio 2	Directorio 3
Nombre			
Dirección			
Número telefónico			
Ocupación			

Comenta con tu grupo:

- ¿Cuáles datos son similares en los directorios revisados?
- ¿Por qué algunos tienen datos distintos?
- ¿Su utilidad es la misma?

Para facilitar su consulta, los datos en un directorio se organizan en orden alfabético como observaste. Los directorios que revisaste comienzan con la letra A, ya sea por el nombre o por el primer apellido de las personas. Organizados de esta forma facilitan la localización de los datos de la persona o del servicio que requerimos.

Datos para un directorio

Conversa con tus compañeros y maestro las formas en que se puede obtener la información para registrarla en un directorio.

Con ayuda de un adulto, localiza algún recibo de los servicios que llegan a tu casa, como luz, teléfono, gas, agua. Observa qué datos de identificación personal se encuentran en él, por ejemplo, ¿cuál es tu dirección y tu número telefónico?, ¿cuál es el código postal de tu colonia o comunidad? Pregunta a tu familia qué datos personales (domicilio, teléfono, correo electrónico) puedes compartir con tus compañeros.

Investiga los datos que desconoces, pregunta a tu familia cómo los puedes obtener. Escribe en una tarjeta tus datos personales. Puedes usar el formato que aparece a continuación.

(Apellido paterno)	(Apellido materno)	(Nombre completo)
(Nombre de la calle)	(Número exterior)	(Número interior)
(Colonia o barrio)	(Municipio o delegación)	(Código Postal)
(Ciudad)	(Estado)	(País)
(Teléfono)	(Correo electrónico)	

Las abreviaturas

Identifica en los directorios y en los recibos las palabras que han sido reducidas eliminándoles letras o sílabas y que terminan con un punto, se les llama *abreviaturas*. Con ayuda de su maestro y compañeros localicen abreviaturas, en el pizarrón, elaboren una tabla en la que anoten las abreviaturas y su significado; observen el ejemplo.

Conversen sobre qué utilidad tienen las abreviaturas.

Abreviatura	Significado
Av.	Avenida
C. P.	Código Postal

Organicemos los datos

En grupo, comenten acerca de la conveniencia de contar con un directorio del grupo. Decidan cómo organizar los datos, tomando en cuenta que los anotarán en orden alfabético, ¿qué escribirán primero?, ¿nombres o apellidos?, luego teléfono, dirección, ¿qué más?

Escriban en el pizarrón el formato que utilizarán para anotar los datos en su directorio, ya que éste servirá de guía para identificar los datos que necesitan y el orden en el que van a escribirlos. Pueden guiarse con el ejemplo:

Nombre completo	
Domicilio	
Teléfono	
Correo electrónico	

Revisen y corrijan de manera grupal lo siguiente:

- Que se utilicen mayúsculas en los nombres propios y en los apellidos, así como en los nombres de las calles y colonias.
- Si es posible utilicen abreviaturas en la escritura de algunos de los datos; puede ser en los nombres de las personas, en los apellidos o en el domicilio.
- Que los datos estén completos y bien escritos para que se entiendan.
- Cuiden la escritura de los números porque pueden confundirse si están mal escritos.

Mi diccionario

Es momento de comenzar una actividad que durará todo el ciclo escolar. Te sugerimos localizar en cada texto que leas aquellas palabras cuyo significado desconozcas.

Primero, trata de encontrar el significado de las palabras leyendo otra vez el párrafo en el que aparecen. Después, consulta su significado en algún diccionario y escribe con tus propias palabras su definición. También escribe algunas oraciones en que las utilices. Cuando tengas lista la ficha, acomódala en orden alfabético. El reto consiste en procurar utilizar esas palabras de manera cotidiana con el fin de ampliar y enriquecer tu vocabulario. ¿Aceptas el reto?

El directorio del grupo

- Después de acordar el formato, elaboren y llenen el suyo con los datos necesarios.
- Uno de ustedes pasará al frente y dirá el alfabeto en orden.
- Cuando escuchen la letra inicial de su nombre o apellido (según el orden que hayan acordado para escribir los nombres en el directorio), entreguen su tarjeta.
- Cuando terminen de entregar sus tarjetas y estén ordenadas alfabéticamente, colóquenlas en una caja. Éste será el directorio del salón.

Mi directorio personal

Comenten en grupo lo siguiente: ¿a quiénes incluirías en un directorio personal?

Elabora tu directorio. Sigue las indicaciones:

- Toma del directorio del salón las fichas de los compañeros que te interesa incluir en el tuyo.
- Copia la información en tu directorio. Recuerda registrar en la hoja correspondiente a cada compañero, según la letra inicial de su nombre o apellido.
- Verifica que en el registro de datos queden bien separadas las palabras para que haya claridad en la información.
- Puedes utilizar el mismo formato que el de las fichas y copiarlo en una libreta, o bien comprar un directorio o una agenda, que ya tienen el formato con los datos y en los que sólo tienes que registrar la información que se indica.

¡A jugar con las palabras!

Coloca las letras mayúsculas
y minúsculas en el lugar que les corresponde.

Ing. Paula _____ amírez _____ arcía.

Av. Tizayuca Núm. 138 _____ asa 6

_____ ol. Presidentes de _____ éxico.

Municipio Villa de _____ezontepec.

Edo. de _____ idalgo. C. P. 06624

T	G	C
H	R	M
t	c	d
h	r	m

Producto final

Para elaborar la versión final de tu directorio, realiza las siguientes
actividades:

- Pide a cada compañero que incluiste que revise si anotaste
  correctamente sus datos.
- Toma en cuenta sus observaciones y corrige en caso de ser
  necesario.
- Cuando termines de registrar los datos de tus compañeros, puedes
  llevar tu directorio a casa para que incluyas los datos de tus
  amigos, familiares y vecinos.
- Agrega también teléfonos útiles, como emergencias, servicios,
  comercios, programas de
  radio o televisión, etcétera.

Consulta tu directorio
cuando lo requieras.

Autoevaluación

Es tiempo de revisar lo que has aprendido después de trabajar en esta práctica. Lee cada enunciado y marca con una palomita (✓) la opción con la cual te identificas.

	Lo hago muy bien	Lo hago a veces y puedo mejorar	Necesito ayuda para hacerlo
Empleo los directorios para registrar información.			
Utilizo el orden alfabético en la organización de mi directorio.			
Uso correctamente las abreviaturas al realizar mi directorio.			

Marca con una palomita (✓) la opción que exprese la manera como realizaste tu trabajo:

	Siempre	A veces	Me falta hacerlo
Respeto las opiniones de mis compañeros.			
Aporto ideas al grupo y al equipo.			

Me propongo mejorar en: _____

_____

Evaluación del Bloque I

Es tiempo de revisar lo que has aprendido después de trabajar en este bloque. Lee cada reactivo y marca con una palomita (✓) la opción correcta.

1. ¿Cuál es una de las características del reglamento?
   a) Proporcionar información sobre un tema específico.
   b) Presentar las reglas de un lugar.
   c) Contener instrucciones para elaborar un objeto.
   d) Narrar el principio, el desarrollo y el desenlace de una historia.

2. ¿Qué se debe hacer para redactar las reglas de la biblioteca del salón?
   a) Enlistar los títulos de los libros presentes en el salón.
   b) Llenar una ficha de préstamo de libros a domicilio.
   c) Escribir instrucciones para la lectura.
   d) Conocer las características de otros reglamentos.

3. ¿Qué tipo de discurso se emplea en el siguiente chiste?

   Un niño le preguntó a una señora si le podría indicar cuál era la calle Casas Grandes. La señora le ofreció disculpas y le dijo que no podía ayudarle porque nunca se había puesto a medirlas.

   a) Directo.
   b) Indirecto.
   c) Ninguno de los dos.
   d) Ambos discursos.

4. ¿Cuál de las siguientes oraciones requiere signos de interrogación?
   a) Dime algo gracioso.
   b) Cuál es el animal que come con la cola.
   c) Todos los animales comen con la cola porque ninguno se la quita para comer.
   d) Ay, qué gracioso.

5. ¿Cuál serie de palabras está ordenada alfabéticamente?
   a) Directorio, compañeros, nombres, teléfonos, letras.
   b) Directorio, compañeros, teléfono, nombres, letras.
   c) Compañeros, directorio, letras, nombres, teléfono.
   d) Compañeros, directorio, nombres, letras, teléfono.

PRÁCTICA SOCIAL DEL LENGUAJE 4

Elaborar un folleto para informar acerca de un tema de seguridad

En esta práctica social del lenguaje conocerás las características y la función de los folletos informativos y elaborarás uno acerca de un tema de seguridad para distribuirlo en la comunidad.

Lo que conozco

Comenta con tu grupo: ¿qué accidentes te han ocurrido? ¿Has sufrido lesiones? ¿Te quedaron cicatrices? ¿Hubieras podido hacer algo para evitar que ocurriera algún accidente?

Escribe en tu cuaderno alguna experiencia que hayas tenido por accidente: ¿qué ocurrió? ¿Cómo fuiste atendido? ¿Qué hiciste para recuperarte? ¿Qué impacto dejó en tu vida? Al final, anota en tu cuaderno cómo hubiera podido evitarse.

- Por turnos, cada uno lea en voz alta lo que escribió. Uno de ustedes anote en el pizarrón una lista de los accidentes que se mencionen. Comenten cuáles son las situaciones de riesgo a las que han estado expuestos.
- De acuerdo con lo que expresaron, formen equipos tomando en cuenta el interés por investigar y difundir cómo prevenir un accidente. Cada equipo investigará un tema diferente para elaborar un folleto que compartirán con el resto del grupo. Una vez integrados los equipos, comenten lo que saben acerca del tema y por qué les interesa saber más sobre ese asunto.
- En grupo hagan una lista con las características de los folletos. Escríbanla en un pliego de papel. Déjenla lista en un lugar donde puedan consultarla después.
- Busquen en casa, en centros de salud o en otro lugar folletos relacionados con la prevención de accidentes, revísenlos entre ustedes e intercámbienlos con otros equipos.
- Cada equipo elija un folleto y respondan lo siguiente: ¿de qué tema trata?, ¿cómo lo supieron?, ¿cómo está distribuido el texto?, ¿cómo son las ilustraciones, el tipo de letra y sus colores?

¿Qué son los ciclones tropicales?

Los ciclones tropicales son enormes masas de aire que se desplazan en forma de espiral a gran velocidad. En México, también son llamados huracanes.

¿Dónde y cuándo se originan los ciclones?

Los que se originan en el hemisferio norte comienzan aproximadamente durante mayo; los que se forman en el océano Atlántico, en junio; ambos terminan en noviembre.

Etapas de los ciclones

Según el grado de intensidad de los vientos, los ciclones tropicales se clasifican en las siguientes fases.

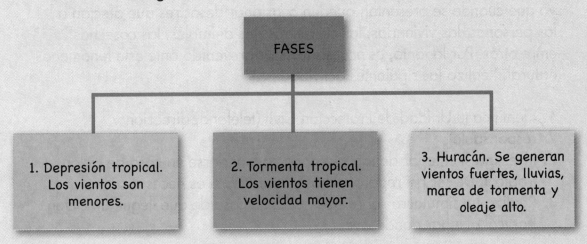

FASES

1. Depresión tropical. Los vientos son menores.

2. Tormenta tropical. Los vientos tienen velocidad mayor.

3. Huracán. Se generan vientos fuertes, lluvias, marea de tormenta y oleaje alto.

¿Por qué los ciclones tienen nombre?

Los meteorólogos dan nombres a cada ciclón tropical para identificarlos de manera más sencilla. En ciertas ocasiones, también se los ponen para no confundir dos ciclones que se encuentren en el mismo océano. En la tabla se muestran los nombres de los principales ciclones que han afectado al país:

Nombre	Naomi	Liza	Gilberto	Roxanne	Paulina
Fecha	1968	1976	1988	1995	1997
Localidad	Río Baluarte, Sinaloa	La Paz, Baja California	Monterrey, Nuevo León	Martínez de la Torre, Veracruz	Acapulco, Guerrero

¿Qué hacer para prevenir los efectos de un ciclón tropical?

Los ciclones son considerados una situación de riesgo para la población, ya que cuando se presentan pueden ocasionar desastres que afectan a las personas, las viviendas, las carreteras, los animales, las cosechas, entre otros. Por lo tanto, es necesario estar prevenido ante este fenómeno natural. Realiza las siguientes actividades:

1. Identifica tu Unidad de Protección Civil (teléfono, dirección y responsable).
2. Investiga si el lugar donde vives podría inundarse en caso de ciclón tropical. De ser así repara techos y ventanas si es necesario.
3. Realiza un simulacro sobre qué hacer en caso de que llegue un ciclón tropical al lugar donde vives.

Y tú, ¿estás preparado?

Para mayor información, consulta la página del Centro Nacional de Prevención de Desastres: <http://www.cenapred.gob.mx/es/>.

¿Cómo son los folletos?

Después de leer los folletos que llevaste al salón, comenta con tus compañeros si éstos:

- Proporcionan indicaciones para prevenir las situaciones de riesgo.
- Contienen información para definir la situación de riesgo presentada.
- Tienen títulos y subtítulos; cuál es su función.
- Indican a quién están dirigidos.

- Emplean un lenguaje específico.
- Contienen ilustraciones, dibujos o gráficas y cuál es su función.
- Manejan diferentes tamaños, colores y tipos de letra.

Elabora con tu equipo otra lista de las características que tendrían que considerar para hacer su propio folleto. Ahora compara la lista que hiciste con las de otros folletos. Agrega elementos o haz correcciones. La lista te servirá como guía para diseñar tu folleto, cópiala en tu cuaderno para usarla cuando la necesites.

Después de todos los folletos que has revisado, elige con tu equipo el tema que abordarán en el suyo. Aún es momento de hacer ajustes, cambiar de opinión y sugerir un nuevo tema. Recuerda que el propósito es investigar sobre estrategias para prevenir una situación de riesgo, recabar información útil y redactarla de forma sencilla y precisa; además puedes utilizar ilustraciones que ayuden a hacer más claro el mensaje.

Al final, propongan un título provisional de su folleto.

A buscar la información

Localicen la información precisa.

- Una vez elegido el tema del folleto, busquen en la biblioteca libros con información útil.
- Pidan ayuda a su maestro para revisar los libros: revisen los índices, usen como guía los títulos y subtítulos, y elijan la información que se relacione con su investigación.
- Reúnan folletos informativos acerca del tema elegido. Pueden encontrarlos en oficinas gubernamentales o en centros de salud de su comunidad.
- Entrevisten a familiares, vecinos, estudiantes de grados avanzados y, de ser posible, especialistas en el tema. Hagan preguntas específicas sobre cómo prevenir esa situación de riesgo.

Mi diccionario

Continúen explorando el material para localizar la información que les sea útil y anótenla en su cuaderno.

Investiguen en un diccionario el significado de todas las palabras o conceptos de los que tengan dudas. Es muy probable que encuentren *tecnicismos,* es decir, palabras que se emplean específicamente como parte del lenguaje de una especialidad, y que es muy raro usarlas en el lenguaje cotidiano. Anoten en su diccionario el significado de los tecnicismos para que los utilicen en su folleto.

Comparte experiencias

Cada equipo exponga frente al grupo dónde hallaron respuestas para su investigación: muestren el libro, revista, folleto o material. Vean bajo qué título y subtítulo estaba ese texto y por qué pensaron que ahí estaría la respuesta.

Con ayuda de su maestro, comenten la importancia de utilizar índices, títulos y subtítulos como auxiliares en la búsqueda de información. Tomen notas de las conclusiones.

Diagramas para resumir y ordenar información

Con la información encontrada hagan un diagrama que contenga todos los subtemas que van a incluir en el folleto. Tomen en cuenta los datos que requieren dar a conocer a su comunidad.

Este diagrama les servirá para determinar el orden que tendrá el contenido de su folleto. Observen el diagrama que se realizó para el tema "Formas de elegir nuestros alimentos para evitar la obesidad".

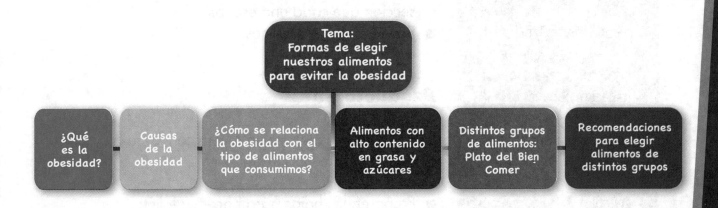

A partir de la lista de características del folleto que ya anotaste en tu cuaderno, haz un guion que determine cómo se estructurará el de tu equipo.

Planifica la distribución que tendrán los elementos en el espacio destinado a cada sección. También piensa qué ilustraciones son necesarias.

Diccionarios y glosarios para aclarar significados

No siempre se puede saber el significado de una palabra a partir del contexto en que se usa. Algunos textos tienen glosarios donde se explica el uso específico que una palabra tiene en un texto. Cuando no sea así, haz lo siguiente: primero, comenta con un compañero, con tu maestro o con un familiar cuál podría ser el significado. Después consulta un diccionario y compara lo que podría significar con lo que significa. Es frecuente que los diccionarios tengan varios significados para una sola palabra; escoge la que te ayude a construir y entender el contexto.

¡A jugar con las palabras!

Identifica la palabra que no pertenece a la misma familia léxica. Para esto, intégrate a un equipo:

- En una hoja blanca escriban algunas palabras de una misma familia léxica, por ejemplo: pan, panadería, panadero, panecito, panqué.
- Incluyan dos palabras con lexemas parecidos, pero que no tengan relación con el mismo significado; por ejemplo: pantera, panteón.
- Cuando tengan lista su hoja, intercámbienla con la de otro equipo para descubrir las palabras que no pertenecen a la misma familia léxica y expliquen por qué.

¡A escribir el folleto!

De acuerdo con el diagrama de tu equipo, escribirás los textos de una de las partes del folleto. Es importante que sea breve, que las indicaciones e información sean claras y que sólo anotes lo relacionado con el tema.

- Intercambia con tus compañeros de equipo la sección que cada uno escribió.
- Revisen las correcciones.

Producto final

Cada equipo elaborará un folleto con los textos que copió en su cuaderno.

- Preparen las hojas para hacer su folleto.
- Recuerden que hay una distribución de espacio para cada sección.
- Comiencen a escribir. Consideren: espacio para títulos, subtítulos e ilustraciones. Resalten los títulos con otro color o tipo de letra.
- Revisen para que no cometan errores de ortografía ni de puntuación.
- Intercambien su folleto con los demás equipos.
- En grupo, seleccionen uno de los folletos para integrarlo al periódico mural.

Autoevaluación

Es tiempo de revisar lo que has aprendido después de trabajar en esta práctica. Lee cada enunciado y marca con una palomita (✓) la opción con la cual te identificas.

	Lo hago muy bien	Lo hago a veces y puedo mejorar	Necesito ayuda para hacerlo
Identifico las características de los folletos.			
Utilizo los índices, títulos y subtítulos para localizar la información.			
Presento la información organizada en un folleto.			

	Lo hago siempre	Lo hago a veces	Necesito ayuda para hacerlo
Hago sugerencias para que mis compañeros corrijan sus textos.			
Me responsabilizo de las tareas que me corresponden cuando trabajo en equipo.			

Me propongo mejorar en: _____

_____

PRÁCTICA SOCIAL DEL LENGUAJE 5

Compartir poemas para expresar sentimientos

En esta práctica social del lenguaje compartirás con tus compañeros algunos sentimientos mediante la lectura de poemas. También identificarás las características y recursos literarios que se emplean en estos textos.

Lo que conozco

Comenta con tus compañeros y con tu profesor algunas experiencias que hayas tenido con la poesía. ¿Qué poemas has escuchado o declamado? ¿En dónde? ¿Qué sentiste cuando lo dijiste o lo escuchaste? ¿En qué ocasiones has visto que se lea un poema? ¿Para qué crees que se escriben? ¿Para qué se lee o se dice un poema?

Si recuerdas las rimas que tus papás te cantaban para arrullarte o las que utilizas para jugar, o el poema que declamaste en algún festival de la escuela, compártelos con tus compañeros y maestro. Explica dónde y por qué los aprendiste, y qué sientes cuando los escuchas o los dices.

Leamos poemas

Con apoyo de tu maestro selecciona varios poemas de un mismo autor. Pídele que te proporcione copias de ellos. Puedes elegir algunos del libro *Gota de lluvia y otros poemas para niños y jóvenes* de José Emilio Pacheco, de la Biblioteca de Aula, o de otro libro de poesía que haya en la biblioteca. También puedes seleccionar algunos de otros autores como Gabriela Mistral, Rubén Darío, Antonio Machado y José Martí.

Recuerda que los poemas deben ser de un mismo autor. Cuando esté lista la selección, realiza estas actividades en las siguientes clases:

- Prepara un ambiente agradable en el que te sientas cómodo para escuchar y leer poesía. Puede ser el salón, el patio, la biblioteca o un área verde de la escuela. Puedes poner música suave de fondo e incluso poner algunos cojines para sentarte o recostarte en el suelo.
- Escucha la lectura que hará tu profesor de los poemas seleccionados y síguela en silencio.
- Pon especial atención al volumen que emplea tu profesor, a los cambios en el tono de voz, al ritmo y a la fluidez con que lee y cómo expresa lo que dicen los poemas.
- Al finalizar la lectura de cada poema, comenta acerca de los sentimientos que el autor quiso comunicar, del tema que trata, de lo que sentiste al escucharlo, de cómo suenan las palabras, de a quién se lo leerías y por qué.

Los autores de los poemas

En muchas ocasiones, los autores expresan sus propias experiencias y sentimientos por medio de la poesía. Conocer algunos detalles de su vida, como la época en que vivieron, su nacionalidad e incluso su vida profesional y familiar, nos permiten comprender y entender mejor lo que escribieron.

Investiga con tu profesor los datos biográficos del autor de los poemas que leyeron y revisa con tus compañeros si esta información te permite comprender mejor sus poemas. Busca otros poemas del mismo autor.

Características generales de los poemas

Los poemas no se escriben igual que una noticia o un cuento. ¿Puedes mencionar algunas diferencias? Te damos las siguientes pistas:

Observa el poema del lado izquierdo; la extensión de los renglones y cómo éstos forman dos grupos. Pon especial atención en las palabras con que termina cada renglón. Escribe en tu cuaderno tus observaciones.

Los poemas se escriben en *verso*. Cada verso es un conjunto de palabras que tiene cierto ritmo y rima. A un conjunto de dos o más versos (que pueden o no tener rima) se le llama *estrofa* y cada una está delimitada por un punto y aparte. En el ejemplo de Gabriela Mistral, cada una de las líneas es un verso, y cuatro versos forman una estrofa.

Apegado a mí
[fragmento]
Gabriela Mistral

estrofa 1
- verso 1 Velloncito de mi carne
- verso 2 que en mi entraña yo tejí;
- verso 3 velloncito friolento,
- verso 4 ¡duérmete apegado a mí!

estrofa 2
- verso 5 La perdiz duerme en el trébol
- verso 6 escuchándole latir:
- verso 7 no te turben mis alientos,
- verso 8 ¡duérmete apegado a mí!

¿Puedes identificar los versos de uno de los poemas que leíste? ¿Cuántos versos y estrofas tiene? Díselo a tu grupo.

La rima es la igualdad o semejanza de sonidos que existe al final de las últimas palabras en los versos de un poema.

Los poemas emplean imágenes y comparaciones. Lee los siguientes poemas y comenta qué imágenes y comparaciones hay. ¿Pueden salir flores de tu interior?

La flor y el canto

Brotan las flores, están frescas, medran, abren su corola.
De tu interior salen las flores del canto:
tú, oh poeta, las derramas sobre los demás.

"Anónimo de Chalco", versión en español de
Ángel María Garibay, en *La literatura de los aztecas*,
México, Joaquín Mortiz, 1964.

Dame la mano

[fragmento]*
Gabriela Mistral

Dame la mano y danzaremos;
dame la mano y me amarás.
Como una sola flor seremos,
como una flor, y nada más…

El mismo verso cantaremos,
al mismo paso bailarás.
Como una espiga ondularemos
como una espiga, y nada más…

* Claudia M. Lee (comp.), *A la orilla del agua
y otros poemas de América Latina*, México,
SEP-Artes de México, 2003, pp. 55-56 (Libros del Rincón).

Mi poema

Yo perforo esmeraldas,
yo oro estoy fundiendo:
¡Es mi canto!
En hilo ensarto ricas esmeraldas:
¡Es mi canto!

Totoquihuatzin (rey de Tlacopan, principios del siglo XVI),
versión en español de Ángel María Garibay,
Cantares mexicanos, México, UNAM, 1993.

¡A jugar con las palabras!

Identifica la rima en los poemas que leyeron y cambia las palabras por otras que también rimen. Después, escribe el poema en tu cuaderno e ilústralo. Puedes elegir una canción que te guste y recitar tu poema con ese ritmo. Compártelo con tu profesor y compañeros. ¡Será poéticamente divertido!

Señala con colores diferentes, para cada caso, las palabras que riman. Después lee el poema en voz alta. ¿Te parece que suena como una canción?

Lectura de poesía en voz alta

Ahora te invitamos a que leas en voz alta algunos poemas para que disfrutes de la poesía y aprecies la belleza de nuestro lenguaje.

Realiza las siguientes actividades:

- Elige un poema del mismo autor que has estado leyendo, el que más te guste por lo que dice, por las palabras que tiene o por lo que te hace sentir.
- Cópialo en una hoja.
- Ensáyalo en voz alta tantas veces como sea necesario para que puedas expresar con fluidez los sentimientos que manifiesta.
- Cuando lo tengas bien ensayado, léelo o declámalo en voz alta para tus compañeros y maestro.
- Comparte con tu grupo por qué elegiste ese poema y cuál es el sentimiento o la idea que el autor quiso plasmar.

Sentido *literal* y *figurado*

Los poemas son textos literarios. En los poemas, algunas palabras adquieren un significado *figurado;* con él, las palabras comunican y despiertan algunas sensaciones y sentimientos en quienes las leen. En el sentido figurado se pueden dar diferentes significados a las cosas mediante juegos con las palabras o con los sonidos y comparaciones.

En otros tipos de textos, como en los informativos (enciclopedias, diccionarios y reportes científicos, por ejemplo), las palabras se utilizan para decir algo de manera sencilla, clara, precisa y directa para no dar lugar a interpretaciones diferentes; en esos textos se utiliza el *sentido literal.*

Observen, en cambio, un ejemplo de sentido literario.

Sonatina

Rubén Darío

La princesa está triste... ¿qué tendrá la princesa?
Los suspiros se escapan de su boca de fresa,
que ha perdido la risa, que ha perdido el color.
La princesa está pálida en su silla de oro,
está mudo el teclado de su clave sonoro;
y en un vaso, olvidada, se desmaya una flor.

El jardín puebla el triunfo de los pavos-reales.
Parlanchina, la dueña dice cosas banales,
y vestido de rojo piruetea el bufón.
La princesa no ríe, la princesa no siente;
la princesa persigue por el cielo de Oriente
la libélula vaga de una vaga ilusión.

¿Piensa acaso en el príncipe de Golconda o de China,
o en el que ha detenido su carroza argentina
para ver de sus ojos la dulzura de luz
o en el rey de las islas de las Rosas fragantes,
o en el que es soberano de los claros diamantes,
o en el dueño orgulloso de las perlas de Ormuz?

¡Ay!, la pobre princesa de la boca de rosa
quiere ser golondrina, quiere ser mariposa,
tener alas ligeras, bajo el cielo volar;
ir al sol por la escala luminosa de un rayo,
saludar a los lirios con los versos de Mayo,
o perderse en el viento sobre el trueno del mar.

Ya no quiere el palacio, ni la rueca de plata,
ni el halcón encantado, ni el bufón escarlata,
ni los cisnes unánimes en el lago de azur.
Y están tristes las flores por la flor de la corte,
los jazmines de Oriente, los nelumbos del Norte,
de Occidente las dalias y las rosas del Sur.

¡Pobrecita princesa de los ojos azules!
Está presa en sus oros, está presa en sus tules,
en la jaula de mármol del palacio real;
el palacio soberbio que vigilan los guardas,
que custodian cien negros con sus cien alabardas,
un lebrel que no duerme y un dragón colosal.

¡Oh, quién fuera hipsipila que dejó la crisálida!
(La princesa está triste. La princesa está pálida.)
¡Oh visión adorada de oro, rosa y marfil! ¡Quién
volara a la tierra donde un príncipe existe
(La princesa está pálida. La princesa está triste.)
más brillante que el alba, más hermoso que Abril!

"Calla, calla, princesa —dice el hada madrina—;
en caballo con alas, hacia acá se encamina,
en el cinto la espada y en la mano el azor,
el feliz caballero que te adora sin verte,
y que llega de lejos, vencedor de la Muerte,
a encenderte los labios con su beso de amor."

Comenta con tus compañeros:
¿Una princesa tiene boca de fresa? ¿Es posible que una boca
extravíe su risa y su color? ¿Un teclado puede estar mudo y
una flor puede desmayarse?

El autor sabe que una boca no es de fresa y que las
flores no se desmayan en realidad; entonces, ¿por qué
crees que dice eso en su poema? ¿Podrías decirlo de otra
manera? ¿Cómo?

¡A jugar con las palabras!

Organízate con tus compañeros en equipos. Elige algunos objetos del salón o animales de la comunidad, los que más te gusten. Descríbelos utilizando palabras con sentido figurado y después, con esas descripciones, construye poemas para que jueguen. Lee este ejemplo:

Como un juguete pequeñito con alas de tesoro colorido visitas flor por flor divertido para jugar con estas damas que te regalan su sabor.

(El colibrí)

Contesta sobre las líneas:

■ ¿Qué piensas que quiso decir el poeta con "los suspiros se escapan de su boca de fresa"?

_____

■ ¿Cómo crees que sea una boca que "ha perdido la risa, que ha perdido el color"?

_____

■ ¿A qué se refiere el autor con "está mudo el teclado de su clave sonoro"?

_____

■ ¿Puedes imaginar que "en un vaso, olvidada, se desmaya una flor"? ¿Cómo es una flor que se desmaya?

_____

_____

_____

_____

■ Como puedes observar, Rubén Darío utilizó algunas palabras con otro sentido: empleó la creatividad y la imaginación. Por ejemplo, aunque realmente una mujer no puede tener una boca de fresa, utilizó la palabra *fresa* para describir una boca. ¿Con qué otros objetos puedes comparar una boca?

■ ¿Qué se busca expresar con este poema?

_____

_____

_____

_____

■ ¿De qué otra forma te imaginas una "boca de fresa"?

_____

_____

_____

_____

Con ayuda de tu maestro, busca en el fragmento anterior del poema "Sonatina" otras frases en las que el autor haya empleado las palabras con un significado figurado. También puedes buscar otros ejemplos en los poemas que ya leíste. Compártelos con tus compañeros.

Elabora en tu cuaderno una tabla como la que se muestra aquí, para que escribas las frases con sentido literario o figurado que hayas encontrado en los poemas; después escríbelas en sentido literal. Agrega las filas necesarias.

Sentido figurado	Sentido literal
boca de fresa	boca pequeña y roja
está mudo el teclado de su clave sonoro	

Utiliza las frases con sentido literal que escribiste en la tabla anterior para redactar un texto que exprese lo mismo que el poema "Sonatina". Recuerda que en el sentido literal, las palabras tienen un significado directo.

Mi diccionario

Es momento de que integres en tu diccionario el significado literal de las palabras desconocidas o nuevas que encontraste en los poemas que leíste. Toma en cuenta que en los diccionarios aparece el significado literal de las palabras. Para conocer el significado de una palabra, sigue estas sugerencias:

- Busca en el mismo poema algunas pistas que te ayuden a descubrir el significado de la palabra.
- Pregunta a tu profesor, compañeros o papás dicho significado.
- Consulta diccionarios o enciclopedias que amplíen la definición que has estado construyendo.

Recursos literarios: símil y onomatopeya

Los poetas emplean algunos recursos para escribir sus poemas, para hacernos sentir, ver o imaginar el mundo de manera diferente.

¿Qué imaginaste con el poema "Dame la mano", de Gabriela Mistral? ¿Te recordó algún juego que hayas jugado alguna vez? ¿Cómo imaginaste a la princesa de Rubén Darío?

Dibuja lo que imaginaste cuando leíste los poemas anteriores.

Los poetas comparan unas cosas con otras tomando en cuenta sus semejanzas. A estas comparaciones se les llama *símiles*. Para hacer las comparaciones o símiles se utilizan las palabras *como, cual, igual que, parece*.

Lee este ejemplo y coméntalo.

Tu rostro, niña adorada,
es como un bello jardín;
como amapolas tus ojos,
tus labios cual alhelí.

¿Con qué se compara el rostro de la niña, sus ojos y su boca? ¿Por qué crees que el autor hizo esas comparaciones? ¿Cómo será entonces su rostro? ¿Qué son las amapolas y el alhelí? ¿Cómo serán unos ojos a los que se compara con amapolas?

En los poemas que inventaste seguramente hiciste algunas comparaciones o símiles. ¿Podrías identificarlas?

En otros casos, los poetas utilizan *onomatopeyas* en sus obras. ¿Sabes lo que son? Te invitamos a leer en voz alta, con tus compañeros, los siguientes fragmentos de poemas. Las onomatopeyas están señaladas con *letra cursiva*.

Caminante
Humberto Ak'abal

Caminé toda la noche
buscando mi sombra.

Se había revuelto
con la oscuridad.

Utiuuu
un coyote.
Yo caminaba.

Tu tu tucur…
un tecolote.

Yo seguía caminando.

Zotz' zotz' zotz'…
un murciélago mascándole
la oreja a algún cochinito.

Hasta que amaneció.

Mi sombra era tan larga
que tapaba el camino.

Claudia M. Lee (comp.),
*A la orilla del agua y otros poemas
de América Latina*, México,
SEP-Artes de Mexico, 2003,
pp. 49, 55-56 (Libros del Rincón).

La muralla

Nicolás Guillén

Una muralla que vaya
desde la playa hasta el monte,
desde el monte hasta la playa,
allá sobre el horizonte.
— *¡Tun, tun!*
— ¿Quién es?
— Una rosa y un clavel…
— ¡Abre la muralla!
— *¡Tun, tun!*
— ¿Quién es?
— El sable del coronel…
— ¡Cierra la muralla!

Claudia M. Lee (comp.),
A la orilla del agua y otros poemas de América Latina,
México, sep-Artes de México, 2003,
pp. 49 y 55 (Libros del Rincón).

Comenta lo siguiente con tu grupo: ¿qué onomatopeyas hay en los poemas anteriores?, ¿para qué las utilizaron los poetas?

Las *onomatopeyas* imitan los sonidos naturales que emiten algunos animales, o los que producen objetos o acciones. Los poetas también crean onomatopeyas incluyendo en sus versos letras cuyo sonido repetido simula el del objeto al que se refieren. A este recurso se le llama *aliteración*. Lee en voz alta estos ejemplos:

En el silencio sólo
se escuchaba
un susurro de abejas
que sonaba.

(Garcilaso de la Vega, siglo XVI)

… los recuerdos de Lina que
sorbe su sopa
sabrosa soplando siempre
sonriendo.

(Julio Cortázar, siglo XX)

Y aquel que por valor
y pura guerra
hace en torno temblar
toda la tierra.

(Alonso de Ercilla, siglo XVI)

El ruido con que rueda la
ronca tempestad.

(José Zorrilla, siglo XIX)

Comenta con tus compañeros a qué semeja la repetición de sonidos en cada uno de los casos anteriores. Recuerda que la intención del poeta es referirse con esos sonidos a algo que menciona en su verso; por ejemplo, Garcilaso de la Vega utiliza el sonido "s" constantemente para imitar el zumbido de las abejas.

Ahora que ya conoces algunas características y recursos que se utilizan en la poesía, realiza las siguientes actividades:

- Ten a la mano las copias de los poemas que tu maestro seleccionó y leyó en voz alta al inicio de este proyecto.
- Identifica los versos y las estrofas que componen cada uno de los poemas, y si tienen rima o no.
- Reconoce y marca las comparaciones o símiles que utilizó el autor; si hay onomatopeyas o aliteraciones, márcalas también.
- Identifica los temas que trata el autor en los poemas que seleccionó tu profesor.
- Organízate con tu grupo y anoten en un pliego de papel las características que pudieron identificar en la obra del autor seleccionado. No olviden anotar su nombre y los títulos de los poemas. Peguen el papel a la vista de todos.

Describe con sentido figurado a una persona

■ Piensa en esa persona que quieres describir, en sus características, en lo que hace y lo que te hace sentir.

■ Anota tus ideas y trata de expresarlas a través de comparaciones y onomatopeyas. Puedes trazar una tabla para organizarlas.

Sujeto	Comparación u onomatopeya
Ojos	Como espejos de profundo reflejo
Boca	Canta tanto como tan alegre campana
Manos	Zum, szasz, sis-pas, laboriosas cual abejas
Cabello	

Otro autor, otros poemas

Selecciona con tu profesor poemas de otro autor que escriba sobre temas diferentes a los que ya leyeron.

Realiza con un compañero o en equipo las siguientes actividades:

- Lean en voz alta los poemas seleccionados.
- Busquen los datos biográficos del poeta y anótenlos.
- Identifiquen los temas que el autor trata en su obra poética.
- Descubran la rima, las comparaciones y el tipo de lenguaje que utiliza.
- Escriban en un pliego de papel las características de estos nuevos poemas y péguenlo junto al papel que contiene la información de los poemas del primer autor.
- Comparen los poemas de este autor con los del poeta que leíste al principio de este proyecto. ¿Cuáles son las principales semejanzas y diferencias entre sus poemas?
- Su profesor elegirá dos poemas, uno de cada uno de los autores que leyeron, y los leerá en voz alta.
- Comparen y comenten las características de uno y otro poema para que identifiquen quién es el autor de cada uno de ellos.
- Argumenten sus comentarios con ayuda de su profesor.

Tarjetas con poemas

En una tarjeta expresa tus sentimientos a través de un poema.

- Elige a la persona a quien le darás la tarjeta. Puede ser la que describiste con anterioridad.
- Escribe en tu cuaderno los sentimientos o emociones que te provoca esa persona.
- Localiza un poema que exprese qué sientes por esa persona.
- Tú mismo puedes escribir el poema. Recuerda que debes redactarlo con versos y estrofas.
- Utiliza comparaciones o metáforas para expresar tus sentimientos.
- Intercambia tu borrador con un compañero y platica con él acerca de la persona a quien le darás la tarjeta. Pide a tu compañero que opine si el poema está bien escrito.
- Lee y corrige tu poema tomando en cuenta los comentarios de tu compañero.
- Revisa la ortografía, la puntuación y la separación de palabras.

Producto final

Escribe la versión final en una tarjeta e ilústrala. Cuando esté lista, entrégala al destinatario. ¡Será una hermosa forma de expresar lo que sientes!

Autoevaluación

Es tiempo de revisar lo que has aprendido después de trabajar en esta práctica. Lee cada enunciado y marca con una palomita (✓) la opción con la cual te identificas.

	Lo hago muy bien	Lo hago a veces y puedo mejorar	Necesito ayuda para hacerlo
Identifico las características generales de los poemas.			
Leo poemas con entonación y ritmo adecuados.			
Expreso mis sentimientos mediante un poema.			

	Lo hago siempre	Lo hago a veces	Necesito ayuda para hacerlo
Valoro los poemas.			
Respeto las opiniones, gustos y elecciones de los demás aunque difieran de las mías.			

Me propongo mejorar en: _____

_____

PRÁCTICA SOCIAL DEL LENGUAJE 6

Investigar sobre la historia familiar para compartirla

El propósito de esta práctica social del lenguaje es investigar sobre tu familia al recuperar información de ésta en documentos oficiales. A partir de dicha tarea elaborarás un texto que narre la historia de tu familia.

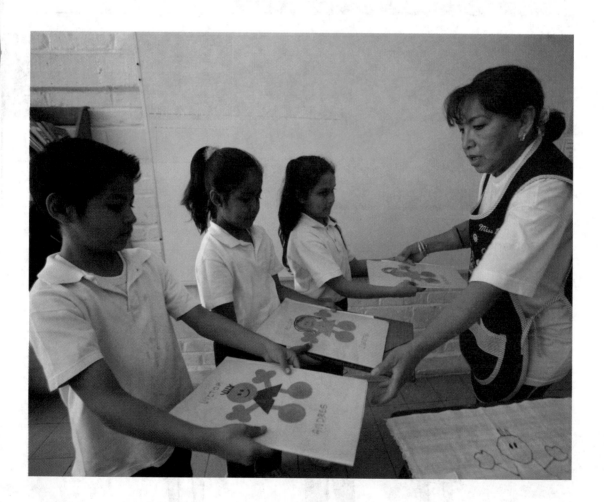

Lo que conozco

Las familias son muy diferentes. Algunas se forman de muchas personas y otras de unas cuantas. Hay incluso familias de dos integrantes: la mamá y la hija o el hijo, el papá y su hija o hijo, dos hermanos... A veces también hay familias únicamente con abuelitos o algunos tíos. Aunque diferentes, todos venimos de una familia. ¿Cómo es la tuya?

Conversación sobre la familia

Compartan con el grupo alguna anécdota o evento de sus familias que les permita conocer más acerca de su historia; por ejemplo, ¿han vivido siempre en esa comunidad? ¿Cuántas personas la integran? ¿Quién de tus compañeros tiene la familia más numerosa? ¿Quién es tu familiar más simpático o el más gruñón?

Lee el siguiente texto sobre la historia de una familia.

HISTORIA DE MI FAMILIA
En la época de la Revolución

Zendy Azul Medina Santillán

Esto comienza con la historia de mis bisabuelos maternos, una historia que me platicó mi mamá según a ella le decían sus abuelos; mis bisabuelos, de nombres Alberto Santillán Ramírez y Guadalupe Ríos Estrada (papás de mi abuelito). Y mis bisabuelos, de nombres Arnulfo Gálvez Barrera y Trinidad Ortiz Aguilar (papás de mi abuelita). Ellos platicaban que en la época de la Revolución, llegaban los zapatistas, quienes se querían llevar a toda jovencita simpática, pero los padres de las jóvenes no lo permitían y para impedir que se las llevaran las escondían, haciendo algunos sótanos, y cuando se retiraban los zapatistas ellas salían. Otro suceso que vivió fue la hambruna, en la cual todo tipo de alimento escaseó, y para no morir de hambre ocupaban el trigo y el mechal del maguey con el cual hacían tortillas. También vivieron la enfermedad de la viruela loca y el apeste en el cual murieron muchas personas, y las que no murieron quedaron marcadas de la misma enfermedad.

Mi abuelito, de nombre Guadalupe Santillán Ríos, nació el 12 de diciembre de 1930, hijo de padres muy pobres quienes trabajaban en el campo; él sólo tuvo la fortuna de cursar la primaria porque saliendo de la primaria ya no pudo seguir estudiando por falta de recursos económicos; al no estudiar se puso a ayudarles a sus papás en el campo. A través de los años llegó a la edad y la etapa donde se enamoró y se casó con mi abuelita, quien nació el 14 de noviembre de 1937. Ellos tuvieron nueve hijos y dos de ellos fallecieron recién nacidos. Una de sus hijas es Josefina Santillán Gálvez, mi mamá, quien nació el 7 de diciembre de 1956.

Por parte de mi papá, desconozco el nombre de mis bisabuelos (por parte de mi abuelo) y de mi abuelo. Sólo conozco a mi abuela, de nombre Epifanía Reyes Quijano, quien nació el 7 de abril de 1932, hija de Leonardo Quijano y Natividad Reyes, quienes en su época trabajaban con unos hacendados que vivían en el Llano. Los hacendados eran personas ricas que tenían casas bonitas hechas de ladrillo, y las personas que trabajaban ahí tenían que ser muy limpias. Una cosa muy importante que me platicó mi abuela fue que la mayor parte de los habitantes que vivía en el llano eran españoles. Mi abuela se casó a los 16 años y tuvo nueve hijos; uno de ellos, Rogelio Medina Quijano, es mi papá. Mi papá me platica que él no terminó de estudiar; ellos eran muy pobres y a la edad de 12 o 14 años él ya trabajaba: se iba a México y de lo que ganaba daba dinero a su mamá y a su abuelita. También se hizo responsable de todos sus hermanos. A la edad de los 20 años conoció a mi mamá y se casaron; tuvieron seis hijos, pero uno de ellos falleció cuando era sólo un bebé. Ahora tiene 59 años y trabaja como comerciante (en joyería y relojería). Una de sus hijas soy yo; me llamo Zendy Azul Medina Santillán; tengo 15 años y nací el 14 de noviembre de 1994.

Tomado de: <http://www.historiasdefamilia.sep.gob.mx/MainController?menu=7&item=1&operacion=0>.

Comenta con tus compañeros la historia que leyeron. ¿Qué más te gustaría saber de esa familia? Escribe tus preguntas.

_____

_____

Ahora analiza algunas características del texto "Historia de mi familia" y responde las siguientes preguntas.

¿Quién escribe el texto?	
¿Qué busca la autora al narrar esta historia?	
¿Cómo narra los sucesos que le ocurrieron a su familia?	

Modelos de árboles genealógicos

Para obtener información acerca de tu familia puedes comenzar elaborando el árbol genealógico. Observa los ejemplos de árboles genealógicos que se presentan a continuación.

Mi diccionario

En la lectura "Historia de mi familia" hay algunas palabras poco usuales en la actualidad, investiga su significado. Utiliza el diccionario para apoyarte.

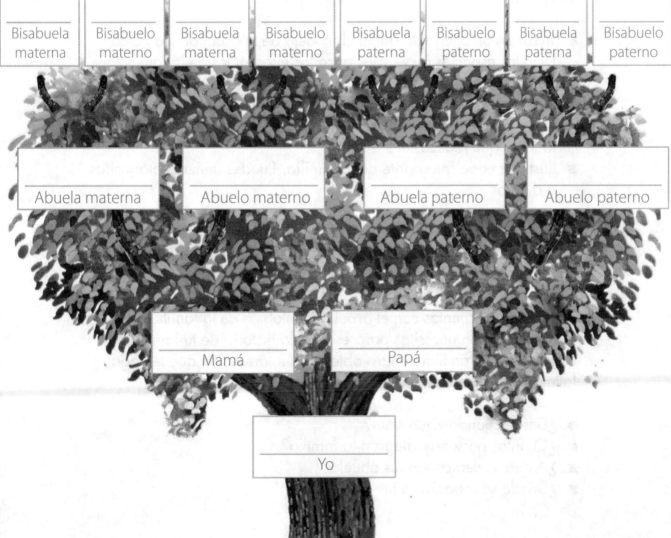

| Bisabuela materna | Bisabuelo materno | Bisabuela materna | Bisabuelo materno | Bisabuela paterna | Bisabuelo paterno | Bisabuela paterna | Bisabuelo paterno |

Abuela materna · Abuelo materno · Abuela paterno · Abuelo paterno

Mamá · Papá

Yo

Comenta con tus compañeros:

- ¿Para qué sirve un árbol genealógico?
- ¿Qué personas aparecen en todos los árboles genealógicos y cuáles no?
- ¿Qué tipo de información proporciona el árbol genealógico?

Elige el modelo que utilizarás para elaborar el de tu familia.

Mi árbol genealógico

A partir del modelo de árbol genealógico que seleccionaste y con la información de la tabla que llenaste, elabora el tuyo, considerando lo siguiente:

- Traza en un pliego de papel el modelo de tu árbol genealógico. Deja los espacios necesarios para los integrantes de la familia que registraste en la tabla.
- Anota en los espacios destinados el nombre de tus familiares, junto con su parentesco contigo. Recupera toda la información de la tabla que realizaste.
- Ilustra a cada integrante de tu familia. Puedes utilizar fotografías o dibujos.

Organización de la información acerca de tu familia

Ahora que ya cuentas con el árbol genealógico de tu familia. ¿Qué otra información necesitas para escribir la historia de tu familia? Platica con tus familiares para obtener la información que te haga falta; utiliza las siguientes preguntas:

- ¿Desde cuándo viven aquí?
- ¿Cuántas personas integran la familia?
- ¿A qué se dedicaban tus abuelos?
- ¿Dónde se conocieron tus papás?

Escribe otras preguntas que te parezcan importantes:

_____

_____

_____

Vamos a completar la información recabada. Pide a tu familia apoyo para investigar en documentos como actas de nacimiento, cartillas de vacunación, actas de matrimonio o algún otro. Anota en tu cuaderno lo que vayas encontrando. Por ejemplo:

- Nombre completo de tu familiar.
- Fecha de nacimiento: día, mes y año.
- Localidad donde nació: país, estado y municipio.
- En qué trabaja o trabajó.
- Pregunta también por alguna anécdota interesante de esta persona.

Organiza la información que recuperaste. Puedes utilizar una tabla como la del ejemplo de la página siguiente. Revísala y agrega más columnas si es necesario.

Tabla para organizar los datos familiares por generaciones

	Abuelos paternos		Abuelos maternos	
1ª generación	Abuela materna	Abuelo paterno	Abuela materna	Abuelo materno
Nombres	Verónica Gutiérrez	Jacinto Flores	Sandra Vega	José Ramírez
Lugar de nacimiento	Sinaloa	Sinaloa	Veracruz	Puebla
Fecha de nacimiento	24 de octubre de 1940	13 de septiembre de 1945	9 de marzo de 1950	10 de abril de 1945
Trabajo	Hace dulces típicos	Trabaja en un rancho sembrando frijol	Vende manteles bordados	Herrero en el pueblo
Habilidades	Habla tres lenguas	Declama poesías	Lee muy rápido	Sabe dibujar
Anécdota	A los 10 años tuvo que emigrar para apoyar económicamente a su familia	Conoció a la abuela cuando fue a comprar dulces típicos	Fue la primera mujer en su familia en concluir sus estudios	Ganó un premio de dibujo a nivel nacional cuando estudiaba la secundaria
2ª generación	Mi padre	Mis tíos	Mi madre	Mis tíos
Nombres				
Lugar de nacimiento				
Fecha de nacimiento				
Trabajo				
Habilidades				
Anécdota				
3ª generación	(Yo)	Mis hermanos	Mis primos	
Nombres				
Lugar de nacimiento				
Fecha de nacimiento				
Trabajo				
Habilidades				
Algún hecho relevante				

Esquema de planificación de un texto sobre la historia familiar

Es momento de que definas los elementos que puedes incluir para narrar por escrito un suceso familiar, así que analiza y responde las preguntas:

■ ¿Quiénes quieres que lean tu texto?
■ ¿Requieres usar lenguaje formal?
■ ¿Cómo se inicia tu texto?
■ ¿Qué temas vas a tratar?
■ Si tienes alguna anécdota o situación especial, ¿dónde la vas a incluir?

Para que organices lo que vas a contar primero y a escribir después, puedes utilizar un esquema de planificación como el siguiente.

Suceso familiar	
¿Cuándo sucedió?	
¿Dónde sucedió?	
¿Quiénes participaron?	
¿Qué sucedió primero?	
¿Qué ocurrió después?	
¿Qué sucedió al final?	

Borrador de los textos de mi historia familiar

Es momento de redactar un texto en el que narres la historia
de tu familia. Utiliza los elementos que has venido elaborando
(información recuperada, árbol genealógico, planeación
del texto, notas y respuesta a las preguntas).

Consulta en...

Para saber más sobre este
tema entra al portal Primaria
TIC, <http://basica.primariatic.
sep.gob.mx/> y en el
buscador anota: **la
familia**.

¡A jugar con las palabras!

Dividan el grupo en dos equipos para jugar a ¿Quién
es quién en la familia?

Coloquen en tarjetas cinco preguntas que describan
el parentesco que tienen algunos integrantes de la
familia. Sigan estos ejemplos: ¿Quién es la hija de mi
abuelo que no es mi tía? ¿Quién es el hermano de mi
tío que no es mi tío, pero es hijo de mi abuelo?

Un integrante del otro equipo elegirá una tarjeta y
responderá la pregunta que contiene. Si la responde
correctamente gana un punto. Luego, otro integrante
del equipo contrario realiza la misma acción y así se
alternan hasta terminar con todas las tarjetas. Traten
de obtener el mayor número de respuestas correctas.

Los tiempos verbales

Lee el siguiente texto:

Soy Mario Alberto Gutiérrez Ramírez. Mis padres son Julián Gutiérrez Carpio y Martha Ramírez Pérez, *tenían veintiocho años cuando yo nací en Valle Guadalupe*, Jalisco. Tengo dos hermanos: Lupita y Armando; son muy alegres y nos queremos mucho, siempre encontramos la forma de divertirnos juntos. Armando es el mayor y a Lupita la adoptaron mis papás cuando yo tenía cinco años. Mi abuelita Beatriz y mi abuelo Carlos se conocieron en Sinaloa, se casaron y tuvieron cuatro hijos, entre ellos a mi papá. *Vivo en México con mis abuelos maternos Rolando y Antonia*; ellos nos cuidan y nos ayudan a hacer la tarea mientras mis papás trabajan.

Identifica en el texto anterior:

- ¿Cómo comienza el texto?
- ¿Cómo se va complementando la idea inicial?
- ¿Qué tiempo verbal debo usar para narrar algo que ya sucedió?

Revisión del borrador

Después de elaborar tu texto realiza lo siguiente:

- Lee y revisa tu texto para verificar que estén completos los datos y sucesos o agrega lo que te falte.
- Intercambia tu texto con un compañero para que lo revise y, en caso de que haga falta información o las ideas no estén claras, corrige lo que sea necesario.

Los textos que escribimos siempre pueden mejorar. Intercambia tu borrador con un compañero para que te ayude a revisarlo. Identifiquen si cumple con los siguientes elementos:

- ¿Logran narrar la historia de su familia?
- ¿Se entiende lo que han escrito?
- ¿Utilizan las palabras necesarias (los verbos) en pasado cuando así se requiere?
- ¿Las oraciones tienen un orden adecuado?
- ¿Necesita algún signo de puntuación (coma, punto y coma, punto, dos puntos, signos de interrogación o de admiración, paréntesis, guiones) para que se comprenda mejor?
- ¿Todas las palabras están escritas correctamente?

Producto final

Una vez que tu borrador diga lo que quieres narrar, pásalo en limpio. Después, agrega el árbol genealógico que hiciste para ilustrarlo.

Presenta tu trabajo ante el grupo y apóyate en tu árbol genealógico para explicar con detalles lo que incluiste en tu texto.

Autoevaluación

Es tiempo de revisar lo que has aprendido después de trabajar en esta práctica. Lee cada enunciado y marca con una palomita (✓) la opción con la cual te identificas.

	Lo hago muy bien	Lo hago a veces y puedo mejorar	Necesito ayuda para hacerlo
Identifico información sobre mi familia en diferentes fuentes orales y escritas.			
Sé cómo ordenar un texto narrativo.			
Puedo escribir oraciones en el orden adecuado.			

Marca con una palomita (✓) la opción que exprese la manera como realizaste tu trabajo:

	Siempre	A veces	Me falta hacerlo
Respeto a todas las personas sin importar su origen social.			
Cumplo con mi tarea.			

Me propongo mejorar en: _____

_____

Evaluación del Bloque II

Es tiempo de revisar lo que has aprendido después de trabajar en este bloque. Lee cada enunciado y marca con una palomita (✓) la opción que consideres correcta.

1. Al buscar por primera vez información para un tema específico, es recomendable:
    a) Revisar los índices de los libros que estén relacionados con el tema.
    b) Leer cada tomo de la enciclopedia.
    c) Buscar en el periódico del día.
    d) Consultar cualquier libro.

2. Se denomina rima a:
    a) La misma medida que tienen los versos.
    b) La terminación igual o parecida de la última sílaba de los versos.
    c) El tema que elige el autor para escribir su poema.
    d) El significado que el poeta le da a las palabras.

3. Los poemas se caracterizan porque generalmente:
    a) Están escritos en prosa y usan lenguaje no metafórico.
    b) Narran vidas y peripecias de personajes fantásticos.
    c) Están escritos en verso, usan rimas, ritmo y comparaciones.
    d) Su extensión es de más de cincuenta páginas.

4. Un árbol genealógico sirve para:
    a) Registrar el teléfono y dirección de una familia.
    b) Narrar una leyenda sobre el lugar donde nacieron mis padres.
    c) Describir cómo son las mascotas de una familia.
    d) Representar el parentesco que existe entre las personas.

5. Subraya en el siguiente texto los verbos en pasado y encierra los que están en presente.

"La primera generación de mi familia la componen mis abuelos paternos Jacinto Ramírez y Esperanza Morales. Mi abuelo es originario de Villahermosa, Tabasco, y mi abuela de Tecomán, una pequeña ciudad de Colima. Mis abuelos paternos ahora viven en Celaya, Guanajuato, donde tienen una tienda de dulces típicos como la cajeta, ates de membrillo, de guayaba y de otras frutas. ¡Son deliciosos! Mis abuelos maternos son José López y Refugio Martínez; a ella de cariño le decimos Cuquita. Mi abuelo José era pescador, pero falleció hace diez años, por eso no lo conocí. Mi abuela Cuquita nació en el puerto de Veracruz y ahí vive actualmente."

6. Es la secuencia cronológica de un texto narrativo:
   a) El principio, lo que pasó después y lo que sucedió antes.
   b) Lo que sucedió primero, el desenlace y lo que pasó después.
   c) Lo que sucedió primero, lo que ocurrió después y lo que pasó al final.
   d) Lo que sucede ahora, lo que pasó primero y lo que ocurrió al final.

PRÁCTICA SOCIAL DEL LENGUAJE 7

Armar una revista de divulgación científica para niños

En esta práctica social del lenguaje conocerás las características de los artículos de divulgación científica, escribirás uno y con tu grupo integrarán una revista.

Lo que conozco

Comenten lo que saben sobre las revistas de divulgación científica.

- ¿Cuáles conocen?
- ¿Cómo se organiza la información?
- ¿Qué características tienen los artículos?
- ¿Para qué se utilizan?

Características y estructura de las revistas de divulgación científica

Organízate con tu maestro y tus compañeros para llevar revistas de divulgación científica al salón. Revísalas y contesta las siguientes preguntas en tu cuaderno. Tu maestro anotará las conclusiones en un pliego de papel que colocará en un lugar visible.

- ¿Qué información proporciona la portada de la revista?
- ¿Cómo puedes saber cuántos artículos contiene, qué temas aborda y en cuáles páginas se encuentran?
- ¿Cómo puedes saber quién escribió cada artículo?

Consulta en...

Visita el portal Primaria TIC, <http://basica.primariatic. sep.gob.mx/> y anota en el buscador: **artículos de divulgación científica**. Te servirán para el desarrollo de esta práctica social.

Un dato interesante

Albert Einstein, reconocido científico del siglo XX, mantenía correspondencia con niños de todo el mundo. Ellos le escribían con ansias de "saber todo" sobre el mundo. Einstein sabía explicar de manera sencilla y con humor cualquier pregunta sobre temas científicos.

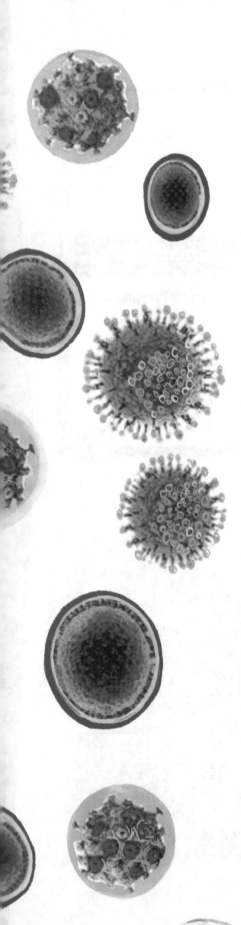

Lenguaje literal en los artículos de divulgación científica

Ponte de acuerdo con tu equipo para realizar las siguientes actividades:

- Elige un artículo que te interese y léelo con tus compañeros de equipo.
- Con la orientación de tu maestro, identifica el tipo de texto que leíste, así como la clase de información que proporciona.
- Identifica el tipo de lenguaje con que está escrito el artículo; observa que el texto es principalmente expositivo (porque explica, ejemplifica y describe).

Las revistas de divulgación científica incluyen artículos que tienen el propósito de dar a conocer de manera exacta y real descubrimientos o explicaciones de sucesos, fenómenos u objetos. Este tipo de artículos son textos informativos escritos con lenguaje literal. Lee el siguiente ejemplo.

La palabra *virus* que utilizamos para nombrar a ciertos organismos que nos causan enfermedades viene de la palabra latina *virus*, que significa "veneno o toxina". Las primeras investigaciones para estudiarlos demostraron que su tamaño era tan reducido que podían colarse por los orificios de los filtros más cerrados y seguir causando enfermedades. Son tan pequeños que, para poder verlos a simple vista, tendrías que reunir veintitrés mil millones de virus, esta cantidad es 3.28 veces el número de personas que hay en el mundo.

Busca en la biblioteca de tu salón libros o revistas sobre temas científicos. Localiza ejemplos de párrafos que te parezcan interesantes, y léelos en voz alta para compartirlos con tus compañeros.

Los artículos de revistas tienen elementos que es necesario incluir en el texto que escribirás. Aquí conocerás los más importantes.

Ilustraciones y fotografías en artículos de divulgación científica

Selecciona el artículo de una revista con tu equipo. Comenta si tiene ilustraciones, tablas, gráficas o fotos y cómo está distribuida la información en cada página.

Localiza en el artículo seleccionado algunas ilustraciones o fotografías: ¿cómo contribuyen a que se comprenda mejor la información? ¿Las fotos, tablas o ilustraciones tienen la fuente consultada? ¿Cómo están escritas las frases? ¿Qué información te proporcionan?

Las ilustraciones o las tablas que acompañan a algunos artículos científicos ejemplifican, completan o especifican la información. Es frecuente que tengan junto a ellas un texto breve que explica al lector lo que se muestra. Este texto se llama *pie de fotografía* o *pie de ilustración*.

Mi diccionario

Busca en el artículo de la siguiente página las palabras que te causen duda y elabora una definición. Incluye algunas oraciones en las que se utilicen esas palabras; después, incorpóralas y ordénalas alfabéticamente con el resto de tu diccionario personal, pero sobre todo, no olvides utilizarlas.

Títulos y subtítulos

Al leer el título de un artículo de divulgación científica, generalmente se sabe de qué trata el texto, pues da una idea del contenido. Los títulos están escritos con letras más grandes, gruesas o, incluso, de color diferente a las letras del resto del artículo.

Cuando los artículos contienen mucha información, es necesario organizarla y presentarla en segmentos cortos. Cada uno de ellos aborda aspectos más específicos del tema; así, un tema se divide en subtemas, que a su vez se mencionan con un subtítulo que indica, en una frase, el contenido de ese texto. Por lo general, los subtítulos están escritos con letras del mismo tamaño que el texto, pero resaltadas con un color más oscuro. ¿Cómo son los títulos y los subtítulos en el artículo que elegiste?

Lee el siguiente texto de Ceferino Uribe y completa los espacios.

Mundo de la Ciencia ● 55

(Título) _____

El término *reptil* viene de la palabra *reptor*. Se refiere a la manera de moverse de un lugar a otro apoyando la panza en el suelo. Sin embargo, no todos los reptiles se desplazan así. Lo que los caracteriza son las escamas, es decir, las placas duras que recubren sus cuerpos.

(Subtítulo) _____

Eran tantos que toda una era de la historia es conocida como Edad de los Reptiles. Los reptiles andaban por todas partes: en las aguas, en los pantanos, en los valles y en los bosques. Algunos hasta volaban, como pájaros. Casi, casi, eran los dueños de la Tierra.

Los reptiles más pequeños medían alrededor de medio metro; los más grandes, ¡más de treinta! Los que volaban tenían cuerpos aerodinámicos, es decir, cuerpos adecuados para volar. Había reptiles con

poderosos cuernotes en la cabeza, con enormes escamas, con gigantescas colas, con muchos dientes grandes o con pocos dientes chicos, con patas cortas y largas, con cuellos rechonchos o con cuellos flexibles como jirafas. En fin, para todos los gustos.

(Subtítulo) _____

Los ovíparos incuban sus huevos en nidos, en el suelo, bajo las piedras o en lugares seguros. Los ovovivíparos conservan los huevos dentro del cuerpo hasta que las crías se han formado completamente.

El huevo se desarrolla después de que la hembra ha sido fecundada por el macho. Allí dentro crece el bebé reptil. El huevo es como un almacén de alimentos y está protegido por una membrana o por una cáscara.

El reptil sale del huevo haciendo un agujero en la cáscara o en la membrana. Y asómbrate: ¡las lagartijas y serpientes nacen con un "diente" sobre la nariz! Con él rompen el huevo. Horas más tarde pierden el "diente" que ya ha cumplido su función.

Las tortugas y los cocodrilos tienen un engrosamiento especial que les sirve para romper el huevo.

56 Revista de divulgación científica ....

(Subtítulo)_____

Esto significa solamente que el calor de sus cuerpos depende del calor del medio. O sea, a diferencia de nosotros, los reptiles no tienen un sistema propio para regular la temperatura corporal. Por eso siempre andan buscando el calor cuando hace frío y el fresco cuando la temperatura es muy alta. Por eso también prefieren las regiones tropicales o templadas, ya que en ellas hay menos variaciones de clima.

Como hace demasiado calor, tienen una piel gruesa e impenetrable, y orinan sólido para ahorrar energías y aprovechar al máximo el agua disponible en su cuerpo. En las temporadas de más calor, estos reptiles se entierran en la arena o se dedican a dormir.

A continuación encontrarás tres frases: una pertenece al título y dos a los subtítulos del artículo. Escribe las frases sobre las líneas que están en el artículo, según corresponda. Quedará una línea en blanco, en ella escribe un subtítulo que creas adecuado:

- Los reptiles son ovíparos u ovovivíparos
- Reptiles
- Se dice que los reptiles son de "sangre fría"

Compara tu trabajo con el de tus compañeros.

Familias de palabras

Lee con cuidado las palabras escritas en los recuadros. ¿Cómo las agruparías y por qué?

Cuando dudes acerca de la ortografía, recurre a la familia a la que pertenece la palabra; de esta manera, casi siempre podrás escribir de manera correcta.

Las palabras de una familia derivan de otra palabra con la que se relacionan por su significado. Por ejemplo: las palabras *científica*, *científicos* y *científicamente* son parte de una familia, y por su significado todas se relacionan con la palabra *ciencia*. ¿Puedes descubrir qué otra característica comparten, a partir de observar cómo se escriben? Coméntalo con tu maestro y tus compañeros.

experimento
inventados
divulgado
experiencia

divulgador
experimentar
inventor

experimentando
invención
divulgar

invento
experimental
divulgación
inventar

Es momento de escribir la versión inicial de tu artículo de divulgación científica. A partir de lo leído en este proyecto, selecciona un tema de tu interés para escribir un artículo.

Haz una lista de los temas que eligieron en tu equipo. Recuerda que para separar cada uno de los temas, debes usar una coma, signo de puntuación que sirve, entre otras cosas, para separar elementos de una lista.

A partir del tema que elegiste realiza las siguientes actividades:

- Escribe en tu cuaderno lo que ya sabes acerca del tema.
- Redacta algunas preguntas que te interese responder, a partir de la lectura de los artículos que elegiste.
- Si es necesario, busca y reúne más libros o revistas para completar la información.
- Busca en los índices los títulos de los textos cuyo contenido supones que te proporcionará la información necesaria para responder las preguntas.
- Lee los textos elegidos y verifica su contenido.
- Una vez recopilada la información, escribe en tu cuaderno las ideas principales.
- Elabora un esquema a partir de la información que obtuviste. Escribe el tema del artículo y una lista de los subtemas. Elaborar el esquema te servirá para organizar mejor la información. Observa el ejemplo.

Título (tema): Los animales mamíferos en México
Subtítulo 1 (subtema 1): Características de los animales mamíferos
Subtítulo 2 (subtema 2): Especies mexicanas de mamíferos acuáticos y terrestres
Subtítulo 3 (subtema 3): Especies mexicanas de mamíferos en peligro de extinción

- Escribe el artículo siguiendo el esquema.
- Recuerda que un artículo requiere tablas o imágenes útiles para explicar mejor su contenido, ilustrar aquello de lo que se escribe o aportar más información. Selecciona las ilustraciones, recortes o fotografías que sean útiles y agrégalas a tu borrador. Deja espacio para los pies de ilustración.

■ Intercambia tu texto con un compañero. Haz observaciones sobre su texto, verifica si es claro, si la información corresponde a los títulos y subtítulos, y si las ilustraciones son apropiadas. Revisa si escribió las palabras y utilizó los signos de puntuación de manera adecuada, especialmente puntos y comas.

■ Toma en cuenta los comentarios de tus compañeros y maestro para mejorar el artículo. Elabora la versión final.

Producto final

Con la orientación de tu maestro, es momento de armar con tus compañeros una revista de divulgación científica. Toma como modelo la estructura de las revistas que llevaron al salón y que revisaron durante el proyecto.

■ Reúne tu artículo con el de tus compañeros y, entre todos, diseñen la portada de la revista y propongan un título.

■ Explica tus ideas para organizar los artículos. Llega a un acuerdo con tus compañeros y define con ellos el orden en que aparecerán. Decide en grupo quién elaborará el índice.

■ Tu maestro reunirá la portada, el índice y los artículos para encuadernarlos de acuerdo con las posibilidades del grupo.

■ Integra la revista a la biblioteca del aula, colócala en la sección que corresponda y compártela con otros grupos.

Autoevaluación

Es tiempo de revisar lo que has aprendido después de trabajar en esta práctica. Lee cada enunciado y marca con una palomita (✓) la opción con la cual te identificas.

	Lo hago muy bien	Lo hago a veces y puedo mejorar	Necesito ayuda para hacerlo
Reconozco las características de los artículos de divulgación científica.			
Identifico la utilidad de títulos, subtítulos e índices.			
Utilizo recursos (portada, contraportada, índice y secciones) para la edición de una revista.			

	Lo hago siempre	Lo hago a veces	Necesito ayuda para hacerlo
Opino respetuosamente sobre el trabajo de mis compañeros.			
Aporto información para un mejor trabajo de equipo.			

Me propongo mejorar en: _____

_____

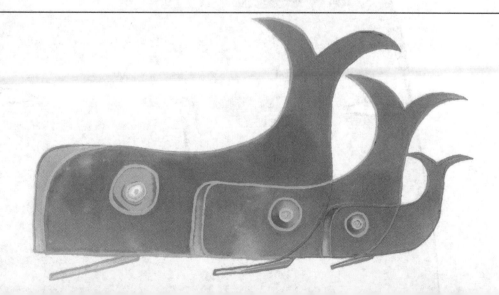

PRÁCTICA SOCIAL DEL LENGUAJE 8

Escribir un relato autobiográfico para compartir

En esta práctica social del lenguaje escribirás un relato autobiográfico que compartirás con tu familia. Para lograrlo identificarás las características y la función de estos textos.

Lo que conozco

En el bloque anterior escribiste un texto acerca de la
historia de tu familia. ¿Qué detalles o anécdotas de
tu vida incluiste? Comenta con tus compañeros cómo
escribirías una autobiografía, qué características tiene
y qué acontecimientos incluirías en ella.

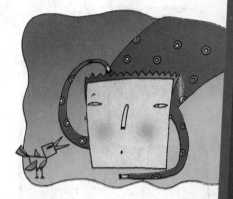

Lee estos dos fragmentos de autobiografías. Mientras
lo haces, imagina los lugares y los personajes, y trata
de deducir quién narra: si es hombre o mujer, qué edad
tiene y otros datos del autor.

I

Nací el 23 de noviembre de 1883 en Ciudad Guzmán, conocido también como Zapotlán el Grande, en el estado de Jalisco.

Mi familia salió de Ciudad Guzmán cuando yo tenía dos años de edad, estableciéndose por algún tiempo en Guadalajara y más tarde en la ciudad de México, por el año de 1890. En ese mismo año ingresé como alumno en la Escuela Primaria Anexa a la Normal de Maestros [...]. En la misma calle y a pocos pasos de la escuela, tenía Vanegas Arroyo su imprenta en donde José Guadalupe Posada trabajaba en sus famosos grabados [...].

Los papelerillos se encargaban de vocear escandalosamente por calles y plazas las noticias sensacionales que salían de las prensas [...]. Posada trabajaba a la vista del público, detrás de la vidriera que daba a la calle y yo me detenía encantado por algunos minutos, camino de la escuela, a contemplar al grabador, cuatro veces al día, a la entrada y salida de las clases, y algunas veces me atrevía a entrar al taller a hurtar un poco de las virutas de metal que resultaban al correr el buril del maestro sobre la plancha de metal de imprenta pintada con azarcón.

Éste fue el primer estímulo que despertó mi imaginación y me impulsó a emborronar papel con los primeros muñecos, la primera revelación de la existencia del arte de la pintura.

II

—Yo, en un rato de lucidez, le pedí a mi hija un casete para grabar, para decir quién soy, cuándo nací, cuántos hermanos fuimos, quiénes fueron mis padres y mis abuelos [...]. Nací el 28 de mayo de 1914, como a las tres de la mañana —según me cuentan—. Mi familia se acordaba bien porque un tío andaba de novio con una de mis tías, y ese día le llevó gallo, que en mi pueblo se acostumbraba entre cuatro y cinco de la mañana, y para esa hora yo ya había nacido [...]. Mi infancia la viví entre mi pueblo y San Luis, lo mismo que los primeros años de escuela. Aunque entonces no daban ni certificado. Mi papá era comerciante y todo lo traía por carros de ferrocarril, nunca vi que fueran comprando de a poquito. De todo había en mi casa y casi todo lo tenían en bodegas [...]. Como era comerciante, la fruta le llegaba por cajones. Me acuerdo que mi hermana Chelo y yo cogíamos un periódico, nos sentábamos en el zaguán, nos arrimábamos la caja de los mangos y a comer y comer, ¡sabrá Dios cuánto comeríamos! ¡Las nueces!, esas que se aprietan, las compraban por medida y también las comíamos [...]. Cuando uno es chico es tremendo, y yo era tremenda. A mí lo que me gustaba era subirme a los árboles, sobre todo cuando hacía viento. Me quedaba ahí como changa amarrada, abrazada a las ramas, con riesgo de caerme. Pero eran cosas de niña. Tuvimos una niñez —para mí— hermosa...

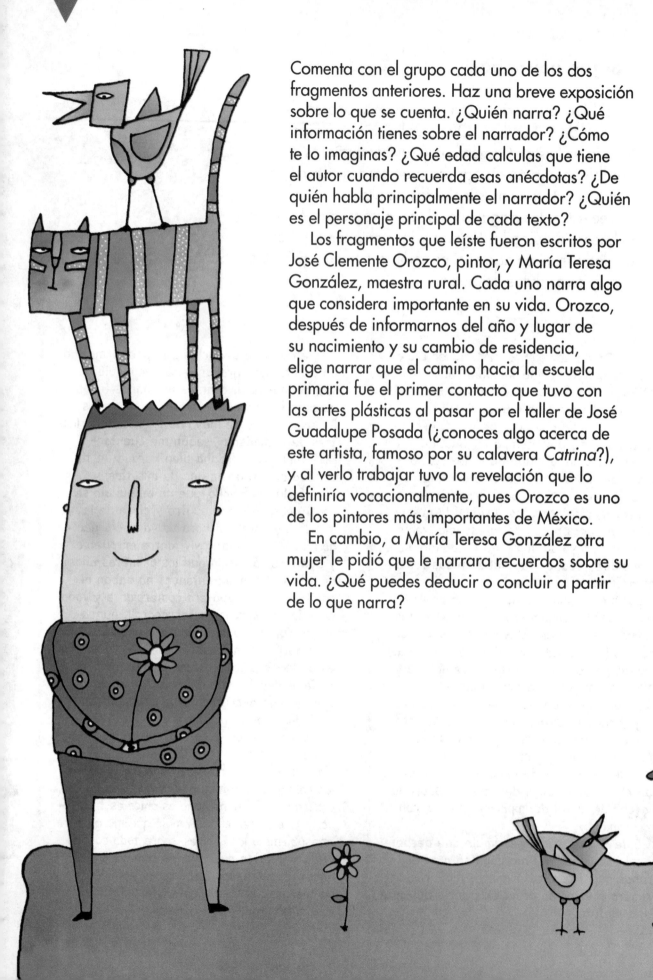

Comenta con el grupo cada uno de los dos fragmentos anteriores. Haz una breve exposición sobre lo que se cuenta. ¿Quién narra? ¿Qué información tienes sobre el narrador? ¿Cómo te lo imaginas? ¿Qué edad calculas que tiene el autor cuando recuerda esas anécdotas? ¿De quién habla principalmente el narrador? ¿Quién es el personaje principal de cada texto?

Los fragmentos que leíste fueron escritos por José Clemente Orozco, pintor, y María Teresa González, maestra rural. Cada uno narra algo que considera importante en su vida. Orozco, después de informarnos del año y lugar de su nacimiento y su cambio de residencia, elige narrar que el camino hacia la escuela primaria fue el primer contacto que tuvo con las artes plásticas al pasar por el taller de José Guadalupe Posada (¿conoces algo acerca de este artista, famoso por su calavera *Catrina*?), y al verlo trabajar tuvo la revelación que lo definiría vocacionalmente, pues Orozco es uno de los pintores más importantes de México.

En cambio, a María Teresa González otra mujer le pidió que le narrara recuerdos sobre su vida. ¿Qué puedes deducir o concluir a partir de lo que narra?

Responde las siguientes preguntas que te servirán para identificar las principales características de los textos anteriores. Anota tus conclusiones en un pliego de papel.

- ¿Quién narra la vida de los personajes?
- ¿Qué sucesos se incluyen en las autobiografías?
- ¿En qué tiempo verbal se narran los acontecimientos?
- ¿En qué orden se narran los sucesos?
- ¿En qué lugar y tiempo sucedieron los hechos recordados?
- ¿Por qué algunas personas escriben autobiografías?

Guarda el pliego de papel pues lo usarás más adelante.

Busca otros textos autobiográficos en las bibliotecas cercanas o entre los libros que tengas en tu casa. Llévalos a la escuela y lee algunos fragmentos con tu grupo. Comenta cuáles son los momentos más interesantes de la narración en cada texto.

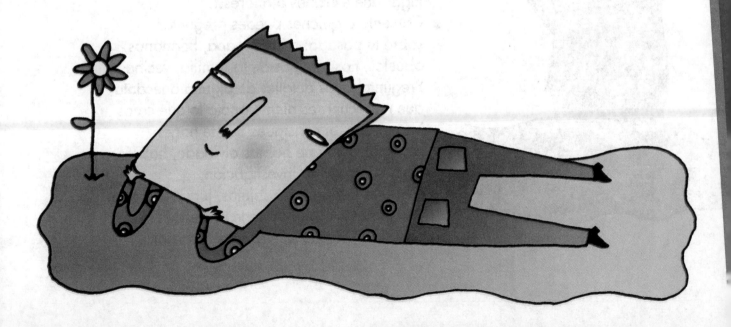

Palabras que indican sucesión

En los textos autobiográficos que trajiste identifica las siguientes palabras: *mientras, después, primero, finalmente, antes de.*

Las palabras que identificaste tienen como propósito indicar el orden en que sucedieron los hechos (orden cronológico).

Elabora una ficha en donde escribas algunos ejemplos de palabras que se utilicen para ordenar cronológicamente los sucesos. Ejemplo: "*Antes de* entrar a la escuela vendía dulces con mi mamá, *mientras* mi papa traía la leña".

Planifica tu autobiografía

Quienes escriben su autobiografía trabajan principalmente con sus recuerdos.

Tu vida ha tenido hasta ahora momentos importantes que en el futuro querrás recordar. Ahora es tiempo de escribirlos, pues los tienes más frescos. Así reconstruirás los sucesos más valiosos que quieras recordar con detalle.

- Recupera el texto de la historia de tu familia que escribiste en el Bloque II, así como los datos relevantes que te pueden ayudar a escribir.

- Elabora un guion de los temas importantes que puedes incluir en tu autobiografía; por ejemplo: el momento de tu nacimiento, tus primeros pasos, tus primeros juegos con tus hermanos, amigos o familiares; la casa en que has crecido; los viajes con tu familia; tu primer día en la escuela, alguna participación en festivales, concursos, tus juegos preferidos, las actividades en las que has participado (canto, teatro, baile, deportes, música), algún suceso en que estuviste involucrado y aprendiste o enseñaste algo; tus mejores amigos, algún lugar que extrañes o añores…

- Comenta a quiénes puedes preguntar sobre tu pasado: mamá, papá, hermanos, abuelos, tíos, amigos de la familia, vecinos. Pregúntales los detalles de alguna anécdota que no recuerdes bien y anota lo que creas importante. Si consigues que te hagan recordar algo que habías olvidado, habrás hecho una buena investigación.

- Observa fotografías, objetos, juguetes, ropa, cuadernos o dibujos que te recuerden tu pasado. Anota lo que deseas recordar.

Con todo lo que investigaste y recordaste elabora una línea del tiempo de tu vida; utiliza tiras de papel para ordenar los sucesos que quieras narrar. Puedes dividirla por años, hasta llegar al actual (tratando de recordar lo más relevante de cada uno), o dividirla por sucesos importantes (desde que se conocieron tus padres, cuando naciste, cuando acudiste a la escuela, algún accidente o enfermedad, algún momento en que fuiste muy feliz, etcétera).

Escribe palabras clave para recordar el suceso o la anécdota, o represéntalos con dibujos. Cuando hayas terminado, elabora un plan de cómo lo narrarás. Busca en tus recuerdos aquellos sucesos que te llevaron a descubrir tu mundo y te dejaron su huella. Recordarlos puede ser útil para saber cómo han influido en tu crecimiento.

La mayoría de los sucesos tienen alguna consecuencia en nuestra vida. Al contarlos puedes emplear palabras que te sean útiles: *porque, por eso, como, en consecuencia, por lo tanto*, que explican los efectos de algo que ocurrió. Observa los ejemplos:

Tengo muchas monedas porque mi abuelo me las heredó.
A mi papá le dieron trabajo en Puebla, por eso vivo aquí desde hace dos años.

Compara las líneas del tiempo que cada quien realizó y comenta con un compañero los sucesos que incluirás en tu autobiografía.

Intégrate en un equipo y haz una narración oral autobiográfica frente a tus compañeros. Para hacerlo, apóyate en tu línea del tiempo. Escucha con atención y haz comentarios tomando en cuenta la secuencia de los sucesos narrados, la selección de hechos y anécdotas, y la manera de narrarlos (brevedad o amplitud, claridad, emociones que provocó).

Después de considerar los comentarios importantes, selecciona lo que escribirás en tu autobiografía: puedes hacer una lista o esquema, o puedes indicarlo en tu línea del tiempo.

Relee los textos autobiográficos con los que se inicia el proyecto; observa el tiempo verbal en que están redactados:

Nací el 23 de noviembre; mi familia *salió* de Ciudad Guzmán; ese mismo año *ingresé* como alumno.
Nací el 28 de mayo; mi infancia la *viví* entre mi pueblo y San Luis; *tuvimos* una niñez hermosa.

Revisa en grupo el pliego de papel donde escribiste las características de una autobiografía. Agrega o sustituye lo que creas necesario, pues te servirá de guía para escribir tu texto. Por ejemplo, anota que una autobiografía está escrita en pasado, retoma los principales sucesos de la vida, centra al autor como el personaje principal, se escribe en primera persona (nací, crecí, lloré, amé…). ¿Qué otras características identificaste?

¡A escribir la autobiografía!

Es momento de escribir tu autobiografía: deja testimonio de quién eres, cuándo y cómo naciste, los acontecimientos más importantes de tu vida (apóyate en la línea del tiempo que elaboraste), tus anhelos, gustos, disgustos y añoranzas. Procura llegar, en tu relato, hasta el momento actual.

Revisa que tu texto:

- Aporte datos que permitan conocer detalles de tu vida.
- Narre acontecimientos en orden cronológico.
- Sea claro y que todas sus palabras tengan la ortografía correcta.
- Sea comprensible y use adecuadamente los signos de puntuación.

Al terminar, intercambia tu texto con un compañero y revisa su autobiografía, él revisará la tuya. Atiende a los comentarios que haga y participa aportando alguna observación para mejorar los textos. Pasa en limpio tu escrito y después léelo en clase.

Producto final

Escribe la versión final de tu autobiografía. Llévala a casa para que compartas los momentos más importantes de tu vida con tus familiares y amigos.

Autoevaluación

Es tiempo de revisar lo que has aprendido después de trabajar en esta práctica. Lee cada enunciado y marca con una palomita (✓) la opción con la cual te identificas.

	Lo hago muy bien	Lo hago a veces y puedo mejorar	Necesito ayuda para hacerlo
Narro acontecimientos siguiendo un orden o una secuencia.			
Identifico las características de una autobiografía.			
Utilizo adecuadamente las mayúsculas en nombres propios y al inicio de oración.			

	Lo hago siempre	Lo hago a veces	Necesito ayuda para hacerlo
Hago sugerencias para que mis compañeros corrijan sus textos.			
Comparto mis opiniones con los compañeros.			

Me propongo mejorar en: _____

_____

En esta práctica social del lenguaje revisarás las secciones que forman un periódico e identificarás la forma en que se escribe una nota periodística o noticia. De este modo podrás escribir tu propia nota periodística sobre algún suceso de tu comunidad para difundirla.

Lo que conozco

En grupo, conversen acerca de las formas en que se enteran de los sucesos que ocurren en diversas partes del mundo y cuáles se utilizan con mayor frecuencia en sus casas.

Conversen acerca del uso del periódico como una fuente de información. Las siguientes preguntas te servirán para intercambiar información con tus compañeros:

- ¿Alguna vez has leído un periódico?
- ¿Cuál es su utilidad?
- ¿Qué información podemos encontrar?

Secciones de los periódicos

Lleven al salón diferentes periódicos que encuentren en su casa, con vecinos, familiares o en puestos. Formen equipos y con ayuda de su maestro revísenlos. Busquen diferentes tipos de noticias; por ejemplo, de deportes, de accidentes, de espectáculos. Identifiquen si tienen título, alguna fotografía, los tipos y tamaños de letra y el nombre de quien la escribió. Identifiquen en qué tiempo verbal están escritas y comenten con sus compañeros por qué creen que se utiliza ese tiempo verbal.

Lean algunas noticias y compartan con los otros equipos de qué tratan.

Observen que las noticias o notas periodísticas, según el tema que traten, están en una sección o parte del periódico. Identifiquen algunas secciones.

Comenten en grupo y, con ayuda de su maestro, identifiquen qué secciones tienen los periódicos. Utilicen la siguiente tabla como guía:

Nombre del periódico: *Diario Nacional*	
Sección	**Contiene**
Política	Notas periodísticas, entrevistas
Deportes	Notas periodísticas, reportajes
Cultura	Reportajes, notas periodísticas, entrevistas
Anuncios clasificados	Anuncios, publicidad
Infantil	Reportajes, tiras cómicas

Un dato interesante

Hace cien años los periódicos aparecían sólo de martes a domingo. Como se publican todos los días también se les llama *diarios*.

Miguel Fernández Delgado, "*La Gaceta de México*, el primer periódico nacional", Expedientes digitales del INEHRM (106), www.inehrm.gob.mx.

Discutan qué es una noticia, qué tipos de noticias hay y para qué sirven. Acuerden elegir y leer una noticia para comentarla con sus compañeros la clase siguiente.

MÉXICO, 10 DE NOVIEMBRE DE 2013.

Niños mexicanos ganan concurso de la NASA

Tres niños mexicanos viajaron al torneo International Air and Space Program (IASP) 2013 con su proyecto.

Tres niños mexicanos que viajaron al Torneo Internacional Air and Space Program (IASP) 2013, convocado por la NASA con el robot de su invención Hubble M-3, para la misión de colonizar el planeta Marte resultaron ganadores.

Los tres pequeños, de entre 12 y 14 años, dijeron sentirse muy satisfechos con su trabajo; en su viaje a las instalaciones de la agencia espacial, convivieron con investigadores en la materia, quienes les compartieron sus experiencias en el espacio. Los estudiantes, que actualmente cursan la secundaria y son parte de la comunidad denominada Robotix, recibieron como premio dos becas con todos los gastos pagados para participar en el torneo IASP del próximo año.

Resumen y paráfrasis

Lee la siguiente noticia o nota periodística:

SAN SALVADOR, 3 DE JULIO DE 2009.

Gana México 5 preseas de oro

México ganó 10 medallas —cinco de oro, una de plata y cuatro de bronce— en los Juegos Juveniles Panamericanos que se realizaron durante la semana pasada en esta ciudad. Ricardo Romo obtuvo una presea dorada en la prueba de maratón; Marilú Sánchez peleó la presea de oro ante la hondureña Patricia Plascencia en tenis individual, logrando el triunfo. Merecido oro el que trajo el equipo varonil de futbol, capitaneado por Gerardo Pérez, así como el de Juan Pablo Anaya en box y Lilia Jiménez en la prueba de cien metros planos.

Paulina A. Calderón celebró junto con su entrenador haber obtenido la medalla de plata en equitación; mientras que Juan de Dios González logró un bronce en la rama varonil de la misma disciplina. Tres medallas más de bronce fueron ganadas en pruebas de natación con Miguel Victoria, Miguel F. Plascencia y José de Jesús Romo.

Escribe en el pizarrón con ayuda de tu maestro un resumen de lo que trata la nota periodística (también llamada *nota informativa*); para ello realiza las siguientes actividades:

- Subraya las ideas principales del texto que acabas de leer.
- Elimina las oraciones que no son importantes.
- Redacta el resumen enlazando las ideas principales que escribiste mediante el uso de nexos: *cuando*, *debido a*, entre otros. De tal manera que se entienda lo que escribes.
- No cambies las palabras del autor.
- Debe quedar un texto menos extenso que el original.

Copia el resumen en tu cuaderno.

Un *resumen* escrito es un texto que transmite de manera breve la información de otro texto. Sirve para comunicar los contenidos de un texto a alguien que necesita información esencial.

Lee los siguientes textos y compáralos; el primero es la copia de un fragmento de la nota periodística anterior, y el segundo es una paráfrasis.

Texto original

"Ricardo Romo obtuvo una presea dorada en la prueba de maratón; Marilú Sánchez peleó la presea de oro ante la hondureña Patricia Plascencia en tenis individual, logrando el triunfo. Merecido oro el que trajo el equipo varonil de futbol, capitaneado por Gerardo Pérez, así como el de Juan Pablo Anaya en box y Lilia Jiménez en la prueba de cien metros planos."

Paráfrasis

Los deportistas que ganaron una medalla de oro fueron: Ricardo Romo en maratón, Marilú Sánchez jugando tenis, Lilia Jiménez en la prueba de cien metros planos. Juan Pablo Arroyo en la competencia de box, y el equipo varonil de futbol.

En equipo, respondan las siguientes preguntas:

■ ¿Qué información se presenta en cada uno?
■ ¿Hay diferencias entre ambos textos? ¿Cuáles?

La *paráfrasis* consiste en escribir con tus propias palabras lo que comprendiste después de haber leído un texto.
Puedes hacer uso del resumen o de la paráfrasis para registrar información importante que necesites consultar.

En equipos, elijan una noticia o nota periodística y:

■ Lean la noticia y comenten de qué trata.
■ Escriban en sus cuadernos un resumen que incluya las ideas principales del texto.

- Seleccionen un párrafo del texto y escriban qué sucedió utilizando sus propias palabras (paráfrasis).
- Revisen su organización gráfica (tipos y tamaños de letra, número de columnas).
- Identifiquen en qué forma aparecen las imágenes, tablas o gráficas que complementan la información.

Aspectos que hay que considerar en las notas periodísticas

Lee la siguiente nota periodística y observa cómo se narran los hechos.

Mi diccionario

En las noticias que has leído probablemente encontraste algunas palabras cuyo significado desconocías. Escribe en tarjetas las palabras que te causen duda y redacta con tus palabras su significado. Utiliza un diccionario para enriquecer su definición. Integra las tarjetas a tu diccionario personal.

MÉXICO, D. F., 30 DE OCTUBRE DE 2011.

Niños visitan el Jardín Botánico de Chapultepec

Un grupo de niños de entre seis y doce años de edad visitó este martes al Jardín Botánico de Chapultepec, en el marco del tercer aniversario de su inauguración.

Los niños asistieron a talleres y conferencias después de hacer un recorrido guiado por las diferentes áreas del jardín que reúnen la diversidad botánica de nuestro país.

El director del Jardín Botánico, en el mensaje que dirigió a los visitantes, resaltó la importancia de crear conciencia en las nuevas generaciones de ciudadanos para que valoren y preserven la riqueza natural de nuestro país.

Al término de la visita, en un acto simbólico, los niños Celina Urbán y Rafael Salas plantaron un árbol de la especie ahuehuete a un costado de la entrada del Jardín Botánico.

A partir de la lectura, realiza estas actividades:

- Identifica la palabra inicial de cada párrafo. ¿En qué otros casos se utilizan las mayúsculas? Coméntalo con tus compañeros.
- Observa los signos de puntuación y comenta con tus compañeros qué función cumplen en el texto.
- Identifica en qué tiempo están conjugados los verbos.
- Identifica cómo se enlazan las oraciones a través de nexos (cuando, antes que, después de, etcétera).

Voz pasiva y voz activa

En las notas periodísticas se pueden narrar los hechos de dos formas:

Ejemplo A:
Los niños Celina Urbán y Rafael Salas plantaron un ahuehuete a un costado de la entrada del Jardín Botánico.

Ejemplo B:
Un ahuehuete fue plantado por los niños Celina Urbán y Rafael Salas a un costado de la entrada del Jardín Botánico.

Para verificar que la información es la misma pero está escrita de dos formas diferentes, lee otra vez los dos ejemplos y completa la tabla.

Pregunta	Ejemplo A	Ejemplo B
¿Quién o quiénes protagonizan la noticia?		
¿Qué acción realizan?		
¿En qué tiempo?		
¿En dónde realizaron la acción?		
¿Como inicia la oración?		
¿Qué palabras son diferentes en cada oración?		

Comenta con tus compañeros qué es lo que cambia en cada oración y ¿por qué?

En ambos ejemplos se señalan situaciones semejantes; sin embargo, en el ejemplo "A" se destaca que Celina y Rafael realizan la acción de plantar un ahuehuete; ellos son el sujeto de la oración, a esto se le llama "voz activa". En el ejemplo "B", el ahuehuete es el sujeto de la oración, pero no realiza la acción; a esto se le denomina "voz pasiva".

Elabora una ficha con tus conclusiones y la información sobre el uso de la voz pasiva.

Agrega un par de ejemplos.

Noticias de su comunidad

Formen equipos y platiquen acerca de algún suceso
o acontecimiento importante de su comunidad que
les interese difundir. Por ejemplo, la inauguración
de un parque, la celebración de las fiestas patrias,
el mantenimiento que se ha dado a las coladeras en
época de lluvias o la participación de algún equipo
deportivo en una competencia.

Planeen la escritura de su noticia.

Recopilen información sobre la noticia que quieren dar
a conocer.

Pueden entrevistar a personas que sepan de ese suceso; para ello
acuerden y escriban las preguntas que van a realizar.

Si hacen uso de textos para ampliar o complementar la
información, utilicen el resumen para sintetizar los datos, o la
paráfrasis para registrarlos con sus propias palabras.

Redacten un primer borrador que responda las siguientes
preguntas:

- ¿Qué sucedió (el hecho)?
- ¿A quién le sucedió (el sujeto)?
- ¿Cómo le sucedió (la manera)?
- ¿Dónde sucedió (el sitio)?
- ¿Cuándo sucedió (el tiempo)?
- ¿Por qué sucedió (la causa)?

En la redacción de su borrador busquen describir o caracterizar objetos, personas o sucesos, de manera que el lector pueda identificar sus características; para ello, utilicen frases como:

El músico estaba sumamente cansado…
La madre se sentía demasiado triste…
La niña es muy inteligente…
El edificio alto está sobre la avenida…

Estas frases nos ayudan a describir a personas, objetos o situaciones de los que hablamos, pues remarcan sus características (frases adjetivas).

Lean su primer borrador y revisen que:

■ Contenga toda la información que queremos dar a conocer.
■ Las ideas sean claras y se entiendan.

Reescriban la noticia realizando los ajustes que requiera. Intercambien el segundo borrador con otro equipo y verifiquen que hayan tomado en cuenta:

■ Uso de la voz pasiva.
■ Tiempo verbal en pasado.
■ Frases adjetivas.
■ Uso de nexos.
■ Puntuación y uso de mayúsculas.
■ Presentación del texto (limpieza).

Producto final

Escriban la versión final en una hoja blanca y escriban sus nombres como autores de la noticia. Anoten la fecha en la parte superior de la hoja. Pueden utilizar distintos tipos y tamaños de letras e incluir, si es necesario, algunas fotografías que acompañen la nota periodística. Cuiden que tenga el formato de una nota periodística: el título o encabezado, fecha y lugar, cuerpo y recursos gráficos de apoyo.

Una vez que tengan lista su noticia, reúnanla con las de los otros equipos. Léanlas y comenten si se pueden agrupar en secciones como aparecen en un periódico.

Para darla a conocer, pueden hacer uso del periódico escolar, del mural o reproducirla por algún medio.

Autoevaluación

Es tiempo de revisar lo que has aprendido después de trabajar en esta práctica. Lee cada enunciado y marca con una palomita (✓) la opción con la cual te identificas.

	Lo hago muy bien	Lo hago a veces y puedo mejorar	Necesito ayuda para hacerlo
Identifico la utilidad de las notas periodísticas.			
Utilizo frases adjetivas en la redacción de una nota periodística para describir objetos, personas o sucesos.			
Identifico los elementos de una nota periodística.			

Marca con una palomita (✓) la opción que exprese la manera como realizaste tu trabajo:

	Siempre	A veces	Me falta hacerlo
Participo de manera individual y en equipo durante el trabajo.			
Escucho respetuosamente a mis compañeros.			

Me propongo mejorar en: _____

_____

Evaluación del Bloque III

Es tiempo de revisar lo que has aprendido después de trabajar en este bloque. Lee cada enunciado y marca con una palomita (✓) la opción que consideres correcta.

1. Un artículo de divulgación suele reconocerse porque:
   a) Trata algún tema científico, tiene ilustraciones y tablas.
   b) Utiliza principalmente discurso directo y evita usar discurso indirecto.
   c) Usa versos y diálogos para informar acerca de un tema.
   d) Aparece principalmente en libros, sin ilustraciones ni fotografías.

2. Indica la función de los artículos de divulgación científica.
   a) Publicar anuncios comerciales.
   b) Presentar reglas para el uso de la biblioteca.
   c) Exponer descubrimientos o explicaciones de sucesos, fenómenos u objetos.
   d) Narrar sucesos de la historia familiar.

3. Una característica de las palabras de una misma familia es que:
   a) Todas las palabras de esa familia conservan una ortografía semejante.
   b) Son generalmente voces extranjeras.
   c) Son palabras que sirven para hacer rimas.
   d) Todas son agudas, graves o esdrújulas.

4. Una autobiografía es un texto escrito por:
   a) Una persona que habla de la vida de otra.
   b) Uno mismo.
   c) Alguien que escribe cuando la persona ha muerto.
   d) Los hijos y herederos de una persona notable.

5. Para escribir una autobiografía es útil tener claro:
   a) Los datos exactos de todos los antepasados.
   b) Las calificaciones obtenidas en cada grado escolar.
   c) Cómo se escribe un instructivo.
   d) Cuáles han sido los sucesos más importantes de la vida propia.

6. Hay palabras que ayudan a marcar el orden temporal, por ejemplo:
   a) Mientras, después, primero, finalmente.
   b) Bajo, sobre, tras, ante.
   c) Aquí, allá, encima, debajo.
   d) Por lo tanto, porque, por eso mismo.

7. Es la forma en que se organizan las notas informativas en un periódico:
   a) Por orden alfabético.
   b) Por tamaño.
   c) Por secciones.
   d) Por fechas de los sucesos.

8. Al emplear la paráfrasis en una nota periodística:
   a) Se escribe lo que dice otra persona acerca de cómo, cuándo y dónde sucedieron los hechos.
   b) Se narra la noticia con otras palabras conservando la información.
   c) Se copia fielmente la información publicada en algún periódico sobre los hechos.
   d) Se narra qué, quiénes, cómo, cuándo y dónde ocurrió según dice otra noticia.

9. Identifica la oración que incluye una frase adjetiva:
   a) Los alumnos visitaron el Museo de Historia Natural.
   b) Los investigadores anunciaron el hallazgo de una nueva zona arqueológica.
   c) El congreso se llevará a cabo del 2 al 5 de mayo en el auditorio Expo Cultura.
   d) Los niños felices juegan.

10. ¿En cuál de las siguientes secciones del periódico podrás encontrar información sobre el derrumbe de una mina en Chile?
    a) Cultura.
    b) Espectáculos.
    c) Internacional.
    d) Nacional.

BLOQUE IV

PRÁCTICA SOCIAL DEL LENGUAJE 10

Describir un proceso de fabricación o manufactura

En esta práctica social del lenguaje redactarás un texto que describa el proceso de fabricación o manufactura de un producto para exponerlo a la comunidad escolar. Para ello conocerás las características y función de los textos descriptivos.

Lo que conozco

- ¿Cómo se fabrica el papel o el vidrio?
- ¿Cómo se hacen las tortillas o el pan?
- ¿Cuál es el proceso de elaboración de una piñata o de materiales como la tela o la tinta?
- ¿Cómo darías a conocer estos procesos?

Comenta con el grupo si alguna vez has visto o participado en el proceso de transformación de algunos materiales en un producto. Tu maestro tendrá también algo que contarte: escucha con atención el proceso que te describirá.

Ahora lee cómo transformar algunos ingredientes para hacer juguetes: ¡haz una masilla para jugar!

¿Qué palabras te indican el orden temporal, es decir, qué se hace primero y qué se hace después durante la elaboración? Subráyalas.

Masilla para jugar

Proceso de elaboración

1. Primero, se disuelve un sobre pequeño de colorante vegetal del color que te guste en una taza de agua tibia. Se agregan tres cucharadas de aceite (vegetal o para bebé) y se mezcla.
2. Después, en el tazón, se revuelven cuatro cucharaditas de crémor tártaro, dos tazas de harina y una taza de sal fina. Luego se vacía la mezcla del paso anterior, se agrega una taza de agua y se amasan los ingredientes hasta que la mezcla tenga una consistencia moldeable y sin grumos.
3. Finalmente, se forman objetos con la masilla: cuentas en forma de pequeños corazones para elaborar una pulsera, animales en miniatura o juguetes.
4. Una vez que tengan la forma deseada, se dejan secar.

Los procesos de elaboración

Invita a tu escuela a dos o tres personas para que expliquen al grupo el proceso de elaboración de algún producto: tamales, papel reciclado, helados, ollas de barro, ropa, etcétera. Pregunta a tus papás, hermanos o conocidos qué saben hacer e invítalos.

Los invitados explicarán cómo se elabora el producto; pueden llevar ejemplos de los distintos momentos de la elaboración.

Toma notas de lo que te expliquen. Después podrás hacer preguntas y exponer tus dudas. Recuerda que el propósito principal es conocer el *proceso de elaboración*, no la preparación del producto en sí.

Puedes hacer dibujos de las distintas etapas de elaboración. También puedes visitar una fábrica o un taller y conocer otros procesos; por ejemplo, la fabricación de una tortilla es muy diferente en casa y en una tortillería. Lo mismo sucede con la ropa, el jabón y el pan. ¿Por qué piensas que es así? ¿Tendrá que ver la maquinaria? Platícalo con tus compañeros.

En forma grupal, comenta la exposición de los invitados.

Revisa tus notas y, con la orientación de tu maestro, resume el proceso de elaboración de cada producto. Es importante que tengas claro qué va primero, qué va después y qué va al final. Para ello, es recomendable hacer dibujos o diagramas para recordar esa secuencia que después describirás.

Escribe el nombre de un producto cuyo proceso de elaboración conozcas y coméntalo con tus compañeros.

_____

_____

⊙⊙⊙ Consulta en...

Visita el portal Primaria TIC, <http://basica.primariatic. sep.gob.mx/> y anota en el buscador: **orden temporal**. Encontrarás información relacionada con este tema que te servirá para realizar tu texto descriptivo.

Para tomar notas

- Escucha la información y escribe las palabras clave o las oraciones que resuman lo explicado; no esperes a que te dicten.
- Anota sólo los pasos principales, no escribas los detalles. Pide a tu invitado que, al finalizar, haga un breve recuento de los pasos que siguió.

- Numera las secuencias.
- Haz dibujos, si te es más sencillo para recordar.
- Usa abreviaturas y claves: si se repite mucho una palabra en un proceso, puedes poner sólo su inicial, siempre y cuando recuerdes luego qué quiere decir.

Organízate en equipo y escribe cómo se elabora o prepara alguno de los productos que anotaste en la página anterior. No olvides:

Mi diccionario

Al describir las acciones de un proceso se utilizan verbos que tal vez desconozcas. Investiga los que te provoquen duda, redacta su definición en tarjetas e incluye algunos ejemplos de pasos de procesos que utilicen estos verbos.

- Utilizar palabras que indiquen el orden temporal, como: *primero, en seguida, después, finalmente, cuando, entonces.*
- Explicar el proceso empleando los verbos en presente de indicativo, en forma impersonal: *se mezclan* los ingredientes; *se agrega* un poco de sal; *se usa* un rodillo...

Al final, lean su proceso de elaboración completo y revisen si consideraron todos los materiales y pasos. Después, un integrante del equipo lo leerá en voz alta; el grupo opinará sobre la claridad, el orden y la síntesis de su descripción.

Este ejercicio servirá como guía para que sepan en qué tienen que fijarse para describir el proceso de elaboración, fabricación o manufactura de cualquier producto que elijan.

Diagramas para describir procesos

En el Bloque II aprendiste a utilizar diagramas para resumir y ordenar información; también son útiles para representar de manera gráfica el orden de los pasos que se siguen. Fíjate en este ejemplo.

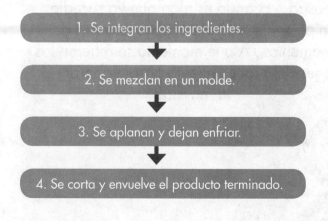

1. Se integran los ingredientes.

2. Se mezclan en un molde.

3. Se aplanan y dejan enfriar.

4. Se corta y envuelve el producto terminado.

Comenta:

- ¿Qué información se presenta en cada recuadro?
- ¿Para qué se utilizan las flechas?
- ¿Cuál es la utilidad de un diagrama al redactar el proceso de elaboración de un producto?

Organicen la información registrada en sus descripciones con un diagrama que muestre el orden de los pasos que deben seguir para elaborar el producto que eligieron.

Planificación del proceso de elaboración

Investiguen el proceso de fabricación de algún producto.

- Decide con tus compañeros el proceso que deseas investigar.
- La descripción debe exponer con claridad cómo se transforman los materiales en un producto terminado.
- Toma notas, haz esquemas del proceso paso a paso (con palabras clave o dibujos) e intenta ser breve al describir cada etapa.

Las fuentes de consulta pueden ser varias:

- **a)** Revistas, libros, manuales.
- **b)** Páginas de internet, videos, programas de televisión.
- **c)** Entrevista a técnicos, artesanos, amas de casa, profesionistas, obreros, etcétera.

Observa que los textos están escritos considerando el momento que se quiere mostrar; por ejemplo, en futuro, cuando se describe o analiza algo que sucederá más adelante; en pasado, cuando es algo que ya sucedió, o bien, en presente, cuando es algo que sucede en este momento. ¿A qué momento se refieren las indicaciones del procedimiento para elaborar la masilla?

Un dato interesante

Entre los secretos mejor guardados se encuentra el proceso de elaboración de los perfumes. Sus ingredientes y procesos exactos se mantienen ocultos (a esto se le llama *secreto industrial*) para que no se pueda imitar fácilmente un aroma, que representa años de estudio y experimentación.

Usa mayúsculas y comas en tu texto

1. Regresa al texto "Masilla para jugar" y responde los siguientes puntos:

   - ¿Qué palabras están escritas con mayúscula inicial? ¿Por qué?
   - ¿Dónde están colocados los puntos? ¿Por qué?

2. Analiza con tus compañeros la razón por la que hay una coma en el segundo párrafo del procedimiento: "crémor tártaro, dos tazas de harina y una taza de sal fina". Comenta con el grupo tus respuestas.

Producto final

Redacta un borrador del proceso de elaboración del producto que investigaste. Considera, al momento de escribir y de revisar, los siguientes aspectos:

- Ordena los pasos del proceso.
- Reflexiona sobre qué tiempo, modo y persona gramatical usarás para describir el proceso.
- Usa palabras que indiquen el orden temporal (*primero, después, a continuación, finalmente, para que, cuando*).
- Emplea encabezados para el título, el proceso u otras observaciones.
- Al terminar, revisa la ortografía de tu texto:

  - Mayúscula inicial después de punto, al escribir nombres propios o al iniciar una oración.
  - Punto al terminar oraciones.
  - Coma al mencionar, por ejemplo, la serie de ingredientes.

- Pasa en limpio la descripción de tu proceso e ilustra los pasos.
- Intercámbialo con algún compañero y escucha sus observaciones.
- Comenta: ¿para qué te sirven las observaciones sobre tu texto?

Escribe la versión final.

Con tus compañeros de grupo elijan algunos de los textos para publicarlos en el periódico mural. Así, la comunidad escolar conocerá su trabajo.

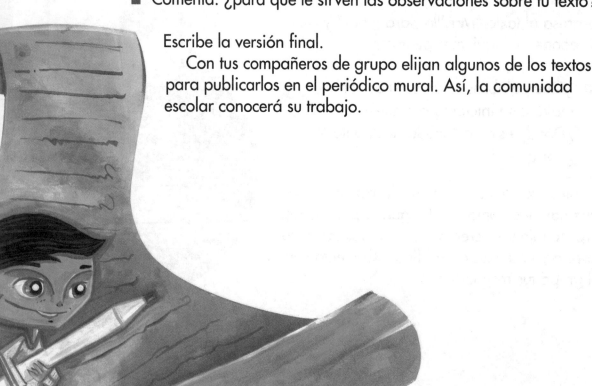

Autoevaluación

Es tiempo de revisar lo que has aprendido después de trabajar en esta práctica. Lee cada enunciado y marca con una palomita (✓) la opción con la cual te identificas.

	Lo hago muy bien	Lo hago a veces y puedo mejorar	Necesito ayuda para hacerlo
Describo un proceso cuidando el orden de sus pasos.			
Utilizo palabras y frases para indicar el orden y los pasos de un proceso.			
Utilizo diagramas para describir procesos.			

	Lo hago siempre	Lo hago a veces	Necesito ayuda para hacerlo
Participo en el trabajo colaborativo y me esfuerzo por realizarlo de la mejor manera posible.			
Escucho respetuosamente las observaciones de mis compañeros.			

Me propongo mejorar en: _____

_____

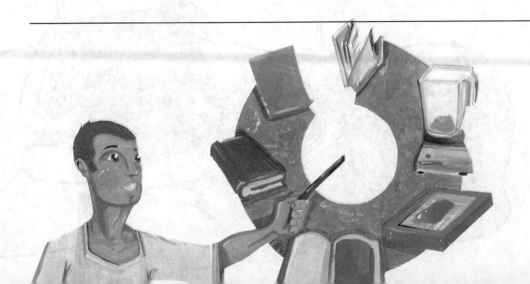

PRÁCTICA SOCIAL DEL LENGUAJE 11

Describir escenarios y personajes de cuentos para elaborar un juego

En esta práctica social describirás algunos personajes y escenarios de cuentos para elaborar un juego de tarjetas. Para ello, tendrás que identificar sus principales características.

Lo que conozco

Comenta con tus compañeros algún cuento que te hayan contado o hayas leído, de qué trata, qué personajes intervienen, cómo son y en qué escenarios se desarrolla la historia.

¡A jugar con las palabras!

Ponte de acuerdo con tus compañeros y elijan entre todos un cuento de los que hayan leído durante el curso para que tu profesor lo lea de nuevo en voz alta. Después de escuchar la lectura, organízate en equipo y realiza lo siguiente:

- Enlisten los personajes del cuento y mencionen cuál es la participación de cada uno.
- Comenten cuál es el momento más emocionante del cuento.
- Su profesor leerá el cuento en voz alta una vez más. Al hacerlo cambiará intencionalmente algunos personajes, escenarios, objetos o situaciones.
- Pongan atención a la lectura; cada vez que su profesor haga algún cambio a la historia original, dirán: "¡Está cambiado!".
- Deberán decir cuál fue el cambio y cómo es la versión original del cuento.

Orden de los acontecimientos

A partir de la siguiente actividad, pon atención para que comprendas el orden en que sucedieron los acontecimientos del cuento que leyó tu profesor, o de cualquier otro que tú y tus compañeros decidan leer.

- Organízate con tu equipo.
- Entre todos los integrantes elijan a un alumno para que lea en voz alta el cuento.
- Escriban en tarjetas blancas los párrafos del cuento donde se mencionan los acontecimientos más importantes o, si prefieren, dibújenlos. Cada tarjeta debe tener sólo un párrafo o un acontecimiento dibujado.
- Asegúrense de que pueden contar el cuento completo a partir de las tarjetas.

- Las tarjetas se repartirán entre los integrantes del equipo para reconstruir el cuento. Pueden cambiar de lugar las tarjetas las veces que consideren necesario, hasta que crean que el cuento está ordenado.
- Para verificar si ordenaron correctamente las tarjetas, pueden consultar el cuento que leyeron.
- Intercambien su cuento y las tarjetas con otros equipos para que puedan reconstruir varios cuentos.

Ahora narren el cuento a un compañero de otro equipo. Pero esta vez divídanlo en tres partes. Dibujen las escenas más importantes en los espacios y no olviden escribir el título.

Al principio

Después

Al final

Los personajes principales de los cuentos tienen características específicas y actúan de forma particular. Por ejemplo: la *bella* Blancanieves ríe *tiernamente;* el *malicioso* lobo espera *sigilosamente* a Caperucita; uno de los tres *robustos* cochinitos trabaja *arduamente* mientras otro lo hace *perezosamente.*

En el párrafo anterior, las palabras resaltadas caracterizan tanto a los personajes (bella, malicioso, robustos) como sus acciones (tiernamente, sigilosamente, arduamente, perezosamente). Usar estas palabras (adjetivos y adverbios) te servirá para describir mejor personajes y escenarios.

Ahora realiza las siguientes actividades para identificar las características de los personajes de un cuento:

- Elige con tus compañeros y profesor otro cuento para leer. Puedes leerlo en voz alta para todo el grupo o para cada equipo, también puedes hacerlo de manera individual, en silencio.
- Tu profesor le dará a cada equipo una tarjeta con el nombre de un personaje del cuento que hayan leído. En esa tarjeta deben anotar las características del personaje (cualidades, sentimientos, apariencia física, actitudes). No digas a los otros equipos cuál personaje te tocó.
- Después lee en voz alta sólo las características del personaje para que tus compañeros identifiquen de quién se trata.
- Señala si las respuestas de tus compañeros son acertadas y por qué.
- Comenta con tu maestro qué descripción te ayudó a identificar mejor al personaje y por qué.

Un dato interesante

Blancanieves, Hansel y Gretel, Caperucita Roja, La Bella Durmiente, Cenicienta, Rapunzel y *El sastrecillo valiente* tienen casi doscientos años de haber sido escritos por los hermanos Grimm. Ellos recorrieron los pueblos alemanes y escuchaban las leyendas y los cuentos que los lugareños habían oído de sus abuelos y que éstos a su vez habían aprendido también de sus parientes mayores; después los hermanos Grimm los escribieron para que no se olvidaran.

En las tarjetas que te dio tu profesor escribiste las palabras que definen o califican a los personajes, por ejemplo: hermosa, egoísta, tímido, envidioso, trabajador, bueno, malo, entre otros. Estas palabras se llaman *adjetivos calificativos*.

Ahora bien, los *adverbios* son palabras que se utilizan para modificar los verbos y los adjetivos; indican cuándo, dónde, de qué manera y en qué cantidad suceden los hechos narrados y la manera en que se llevan a cabo.

El sabor de la sal

Un rey que tenía tres hijas hermosas les preguntó un día cuánto amaban a su padre.

La mayor respondió *serenamente*:

—Te amo *mucho* como el brillo ama al Sol.

La segunda hija dijo de prisa:

—Te amo *tanto* como el ancho del mar.

La más pequeña contestó *emotivamente*:

—Te amo como la carne ama la sal.

El rey, insatisfecho con la respuesta de su hija menor, la corrió lejos del palacio. Pero una dulce anciana, que era una de las cocineras de la corte, decidió invitarla a vivir con ella cerca de *ahí*.

Casi un año *después*, el rey anunció que habría un fastuoso banquete en el reino. Al enterarse, la hija menor le pidió *rápidamente* a la anciana que todos los platillos se sirvieran sin sal. La mujer cumplió con su tarea, y cuando la carne fue servida, todos los invitados se quejaron de su sabor. Entonces la hija se presentó ante su padre y le explicó con mucho cariño que así como la carne sin sal carecía de sabor, así también su vida había perdido todo su sentido sin el amor de su padre. El rey comprendió que su hija lo amaba *profundamente*, así que le pidió que volviera al palacio donde sería tratada *nuevamente* como una princesa.

Anónimo. Cuento popular italiano, aprovechado por Shakespeare en *El rey Lear*. (Adaptación libre)

Lee nuevamente los enunciados donde están las palabras *resaltadas*. Éstas se llaman *adverbios*, escríbelas en el cuadro siguiente de acuerdo con lo que indican. Agrega las filas necesarias.

Cuándo sucedió (adverbios de tiempo)	Dónde sucedió (adverbios de lugar)	Cuánto (adverbios de cantidad)	Cómo sucedió (adverbios de modo)

Del cuento que acaban de leer, elige algunos enunciados que contengan adverbios y escríbelos en tu cuaderno. Cambia los adverbios por otros y comenta con tu profesor y compañeros cómo cambió el significado de cada enunciado. Observa el siguiente ejemplo:

- La más pequeña contestó *emotivamente*.
- La más pequeña contestó *tristemente*.
- La más pequeña contestó *torpemente*.

Mi diccionario

En este proyecto necesitarás muchos adjetivos para tus descripciones. Toma cualquier diccionario y busca algunas palabras que puedan ser usadas como adjetivos: amarillo, caprichoso, hermosa, fuerte. ¿Tienen alguna abreviatura, como *adj.*? ¿Se pueden usar en femenino o en masculino?

Busca palabras que puedan funcionar como adjetivos y haz una lista de las que más te hayan interesado. Úsalas en tus descripciones y defínelas con tus propias palabras en tu diccionario.

Descripción de personajes

Lee un cuento y explica cómo son los personajes. Para ello, realiza la siguiente actividad:

■ Enlista los personajes del cuento. Comenta qué aspecto físico tienen, cómo están vestidos y lo que esto puede expresar; a partir de sus actitudes, de sus acciones y de cómo las realizan, intenta describir sus sentimientos.

■ Elige un personaje y escribe una lista con los adjetivos que lo califiquen o describan. Tu personaje debe ser diferente al que elijan tus compañeros; si es necesario, selecciona un personaje de otro cuento.

■ Elabora una descripción a partir de la lista. Para organizar la información anterior, apóyate en una tabla como la siguiente.

Título del cuento: Caperucita Roja	
Personajes	Características
Caperucita Roja	Buena, linda, pequeña, gentil, juguetona.
Mamá de Caperucita	Dulce, trabajadora, delgada, amable y precavida.

■ Revisa el texto de tu compañero y escribe tus comentarios. Toma en cuenta que la descripción sea clara, que utilice adjetivos calificativos y adverbios, que tenga comas al enlistar características, que separe acertadamente unas palabras de otras y que emplee de manera correcta las mayúsculas y los signos de puntuación.

■ Mejora tu descripción a partir de las sugerencias de tus compañeros.

Las personas, los objetos o los animales algunas veces fantásticos que aparecen en los cuentos se conocen como *personajes*. Intervienen en lo que sucede y se narra en el cuento.

Los escenarios de los cuentos

En los cuentos se describen los lugares en los que se desarrollan o suceden los hechos narrados; a estos lugares se les llama *escenarios*. El siguiente ejemplo muestra el escenario en que Hansel y Gretel encuentran la casa de la bruja que los engañó:

> ... llegaron a una casita, en cuyo tejado se posó un pajarillo y al acercarse vieron que estaba hecha de pan y cubierta de bizcocho, y las ventanas eran de pura azúcar.

Elabora en tu cuaderno una tabla con los diferentes escenarios del cuento que trabajaste junto con tu equipo. Escribe también los adjetivos calificativos que describen a cada uno. Observa el ejemplo.

Escenario	Descripción
Escenario en que los ladrones encuentran a Pulgarcito.	Campo arbolado en el que se esconden ladrones, camino pedregoso, lugar peligroso, lejanamente se observan unas casitas, es un lugar solitario, hay un hormiguero a la orilla del camino.

¡A jugar con las palabras!

Este juego sirve para identificar las escenas de los diferentes cuentos que has leído. Organízate con tus compañeros y realiza la siguiente actividad:

- Con la orientación de tu maestro, el grupo se dividirá en dos equipos y se colocará uno frente al otro. El profesor será el árbitro.
- Por turnos, los miembros de cada equipo preguntarán a los del equipo contrario sobre el escenario de los cuentos leídos; por ejemplo: ¿dónde dormía la Bella Durmiente cuando la encontró el príncipe? Es necesario que prepares tus preguntas con anticipación.
- Si el compañero contesta acertadamente, el árbitro dará un punto a su equipo; si la respuesta no es correcta, el punto será para el equipo que hizo la pregunta.
- A continuación, el equipo que respondió preguntará.
- Alternarán los turnos hasta que todos los integrantes de los equipos hayan participado.
- Traten de acumular el mayor número de puntos.

Producto final

Con base en las tablas que elaboraron escriban en diferentes tarjetas las descripciones de los personajes y los escenarios. No anoten el nombre del personaje ni del escenario.

Describan cómo visten los personajes y su aspecto físico; expliquen también los sentimientos que pueden tener, las acciones que realizan y cómo las ejecutan.

En el caso de los escenarios, registren todas las características necesarias para describirlo con exactitud y así no confundirlos con otros.

Después de completar las tarjetas, revisen lo siguiente:

- Si las descripciones son claras.
- Si utilizan adjetivos calificativos y adverbios correctamente.
- Si utilizan comas al enlistar características.
- Si separaron correctamente unas palabras de otras.
- Si emplearon correctamente las mayúsculas y los puntos.

Corrijan sus descripciones a partir de las sugerencias de sus compañeros.

Dibujen cada uno de los personajes y escenarios en una tarjeta diferente a la de su descripción y anoten su nombre.

Cuando esté lista la versión final de sus tarjetas, jueguen a adivinar el personaje o escenario descrito en ellas. También pueden jugar memorama o lotería.

¡Que se diviertan!

Autoevaluación

Es tiempo de revisar lo que has aprendido después de trabajar en esta práctica. Lee cada enunciado y marca con una palomita (✓) la opción con la cual te identificas.

	Lo hago muy bien	Lo hago a veces y puedo mejorar	Necesito ayuda para hacerlo
Identifico las características de los personajes y de los escenarios en los cuentos.			
Reconozco la secuencia de los sucesos de un cuento.			
Utilizo adjetivos calificativos al describir.			

	Lo hago siempre	Lo hago a veces	Necesito ayuda para hacerlo
Trabajo de manera individual y en equipo durante el desarrollo de los proyectos.			
Aporto ideas y trabajo al equipo.			

Me propongo mejorar en: _____

_____

PRÁCTICA SOCIAL DEL LENGUAJE 12

Difundir los resultados de una encuesta

En esta práctica social del lenguaje elaborarás el reporte de una encuesta en el que incluyas tablas y gráficas. Lo harás para difundir la información que obtengas sobre un tema.

Lo que conozco

Comenta con tus compañeros estas preguntas:

- ¿Para qué sirven las encuestas?
- ¿Qué tipo de preguntas incluye una encuesta?
- ¿Cómo se presenta la información obtenida?

Los maestros preguntan...

En una escuela, los maestros querían conocer mejor a sus alumnos, así que organizaron una encuesta sobre sus características.

La escuela contaba con 300 alumnos, de quienes se quería investigar cuatro aspectos. Las preguntas y los resultados fueron los siguientes:

1. ¿Cuántas personas integran tu familia?
   - 2 30
   - 3 50
   - 4 96
   - 5 112
   - Más de 5 12

2. ¿Cuántos hermanos tienes?
   - Ninguno .10
   - De 1 a 2 .52
   - De 3 a 4 179
   - Más de 4 59

3. ¿Vives en la comunidad o colonia donde está la escuela?
   - Sí 270
   - No 30

4. ¿Cuánto tiempo haces para llegar a la escuela?
   - Menos de 15 minutos 106
   - De 15 a 30 minutos 120
   - De 30 a 45 minutos 20
   - De 45 a 60 minutos 14
   - Más de 1 hora 40

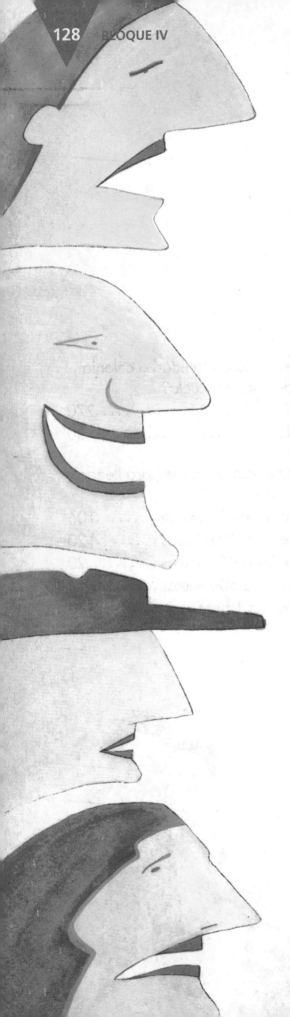

Informe de resultados

Los maestros se llevaron varias sorpresas, pues creían que los resultados serían diferentes. Con las respuestas de la encuesta se observó, por ejemplo, que *casi* todos los alumnos tienen *muchos* hermanos; que sus familias cuentan con *varios* miembros; que la *mayoría* vive cerca de la escuela y, *sin embargo*, que algunos tardan más de una hora en llegar a la escuela.

Tabla de frecuencia		Núm.
Ninguno	### ###	10
De 1 a 2	### ### ### ### ### ### ### ### ### ### //	52
De 3 a 4	### ////	179
Más de 4	### ### ### ### ### ### ### ### ### ### ### ////	59

Pregunta 1 ¿Cuántos hermanos tienes?

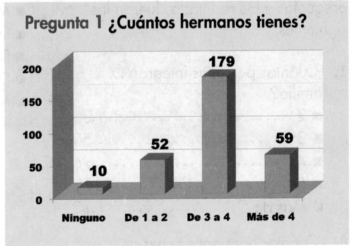

Señala en cada pregunta de la encuesta anterior qué hubieras contestado si te hubieran preguntado. A modo de ejercicio, organízate en equipo para hacer el conteo de las respuestas de tu grupo y anotar los datos. Elige una de las preguntas y, en un pliego de papel, haz un modelo de tabla de frecuencia y una gráfica de resultado, como en el ejemplo.

Contesta nuevamente la pregunta 1, pero no te limites a las opciones; escribe todas las respuestas del grupo en el pizarrón; sólo si fueran idénticas, se escribe una sola vez y se anota las veces que se repite.

¿Cuántas respuestas diferentes obtuvo el grupo? Comenta en el grupo: ¿por qué crees que cada opción de la encuesta del ejemplo tiene sólo tres o cuatro respuestas posibles? ¿Qué ocurriría si la respuesta fuera libre y si cada alumno respondiera abiertamente?

Preguntas con respuestas abiertas y cerradas

Al diseñar el cuestionario de una encuesta se pueden elaborar preguntas con dos tipos de respuestas: abiertas y cerradas, como en los ejemplos siguientes. Analiza en grupo las diferencias entre estos tipos de respuestas.

Ejemplos de preguntas con respuestas abiertas:

1. ¿Cuál es tu opinión sobre los libros de la Biblioteca de Aula?

2. ¿Cómo eliges los libros que llevas a tu domicilio en préstamo?

3. ¿Qué tipo de textos son los que prefieres leer?

Ejemplos de preguntas con respuestas cerradas:

1. ¿Cuántos libros de la Biblioteca de Aula leíste durante el ciclo escolar pasado?
   a) Más de 10.   b) De 6 a 10.
   c) De 1 a 5.   d) Ninguno.

2. Eliges llevar un libro en préstamo domiciliario porque:
   a) Te interesó.   b) Te lo recomendaron.
   c) Te lo dejaron de tarea.
   d) Te gustó la portada.

3. ¿Cuál o cuáles de los siguientes tipos de texto prefieres leer?
   a) Relatos.   b) Poemas.
   c) Divulgación   d) Históricos.
      científica.
   e) Mapas.   f) Recetas.
   g) Historietas. h) Adivinanzas.
   i) Instructivos.

Reflexiona sobre la encuesta

Lee en la página 128 el informe de los maestros sobre los resultados de la encuesta que está páginas atrás.

- ¿Cuántos alumnos participaron en la encuesta?
- ¿Cuántos hermanos tiene la mayoría de los alumnos?
- ¿Cómo obtuviste las respuestas?

¿Qué intención tienen las partes de un *texto informativo*?

Los profesores que organizaron la encuesta entregaron un *informe* o reporte que incluyó:

1. *Introducción*. En esta sección se explica para qué se hizo la encuesta (propósitos) y a quiénes, con qué objetivos y en qué población.
2. *Desarrollo*. Se presentan cada una de las preguntas, qué se espera saber con ellas y cuáles fueron los resultados. Pueden hacerse gráficas con las respuestas.
3. *Conclusiones*. En esta sección se resumen los resultados de la encuesta, y se valora si se obtuvo o no la información que se quería averiguar.

Al redactar informes, frecuentemente se utilizan frases o nexos para explicar, comparar y ejemplificar la información que presentan (*pues, porque, algunos… otros, en cambio, por ejemplo*). Revisa el párrafo que describe los resultados de la encuesta y observa las palabras escritas en cursiva.

Selecciona textos informativos de la Biblioteca de Aula y encuentra más ejemplos del uso de estas frases y nexos.

Diseña tu propia encuesta

Ahora elige un tema para hacer una encuesta entre tus compañeros de grupo.

- Acuerda con todos un tema común, que pueda ayudarte a conocer mejor a los demás o que te resulte útil en alguna otra asignatura: hábitos de alimentación; actividades en el tiempo libre; características de sus viviendas; miembros de sus familias, familiares que usan o necesitan usar anteojos, u otros temas de los que sea interesante o necesario conocer.
- Haz una lista de preguntas relacionadas con el tema; elabora preguntas con respuestas cerradas, como la pregunta 3 del ejemplo, con posibilidad para tres o cuatro respuestas precisas.

Para elaborar las preguntas no pierdas de vista qué quieres averiguar; así la pregunta será clara, directa y breve.

Para elaborar las opciones de respuesta anota las que creas más comunes. Propón las respuestas posibles; por ejemplo, si la pregunta es: ¿qué haces en tu tiempo libre?, piensa en posibles respuestas: practicar deportes, cuidar mascotas, ejecutar actividades artísticas, hacer algo en familia los fines de semana, entre otras actividades.

Cuando dudes acerca de lo que puede responderse a una pregunta puedes anotar como respuesta "Ninguna de las opciones".

Aquí hay un ejemplo de cómo puedes usar un esquema para diseñar tu encuesta.

Con este esquema, quedaría así:

Actividades en el tiempo libre

1. ¿Qué deporte realizas en tu tiempo libre?
- _____.
- _____.
- _____.
- Ninguno.

2. ¿Qué mascota cuidas en tu tiempo libre?
- _____.
- _____.
- _____.
- No tengo mascotas.

3. ¿Qué actividad artística practicas en tu tiempo libre?
- _____.
- _____.
- _____.
- Ninguna.

4. ¿Qué haces con tu familia los fines de semana?
- _____.
- _____.
- _____.
- Otra actividad. ¿Cuál? _____

Analiza en grupo cada una de las preguntas, formula posibles respuestas y anota las opciones que creas más comunes.

Ya sea que trabajes en equipo o en grupo, pasa el cuestionario de cada tema en limpio y revisa la redacción, ortografía y puntuación.

Los signos de interrogación

Comenta en grupo la diferencia entre las siguientes oraciones:

● ¿Dónde juegas futbol?
● Donde juegas futbol aterrizó ayer una avioneta.

Al formular una pregunta se deben utilizar los signos de interrogación y acentuar: *¿Dónde? ¿Cuándo? ¿Cómo? ¿Por qué? ¿En qué? ¿Con qué? ¿Para qué? ¿Quién? ¿Qué?*

Elabora una ficha con esta información y escribe un ejemplo con cada pregunta. Lee en clase las preguntas del cuestionario y revísalas con tus compañeros. Corrige si es necesario.

Ordenar los datos

■ Una vez que hayas revisado el cuestionario de tu encuesta, aplícalo a todo el grupo.
■ Haz una tabla de frecuencia de las respuestas de cada pregunta.
■ Revisa si hay correspondencia entre las cifras del total de encuestados y el total de respuestas a cada pregunta.
■ Registra en tablas la frecuencia de cada respuesta y haz una gráfica de los resultados en un pliego de papel.

Producto final

Con toda la información numérica que ahora tienes, reúnete con el grupo.

Comenta e interpreta los resultados de la encuesta y escribe con tus compañeros un informe. Éste debe incluir una introducción, un desarrollo y las conclusiones.

Redacta una introducción general de la encuesta (objetivo y resultado) y luego describe y explica cada pregunta, así como las conclusiones obtenidas.

Utiliza, si es necesario, nexos como *pues, porque, algunos, otros, en cambio, por ejemplo,* al redactar tu texto.

Cuando termines, verifica la claridad del texto, la ortografía y el uso de los signos de puntuación. Revisa que las palabras estén separadas y acentuadas correctamente.

Expón los resultados de la encuesta ante el grupo, pues es información que generaron entre todos, y muéstrala en el periódico escolar.

Autoevaluación

Es tiempo de revisar lo que has aprendido después de trabajar en esta práctica. Lee cada enunciado y marca con una palomita (✓) la opción con la cual te identificas.

	Lo hago muy bien	Lo hago a veces y puedo mejorar	Necesito ayuda para hacerlo
Reconozco las características y la función de las encuestas.			
Utilizo en el informe de la encuesta introducción, desarrollo y conclusiones.			
Utilizo correctamente los signos de interrogación y puntuación.			

	Lo hago siempre	Lo hago a veces	Necesito ayuda para hacerlo
Respeto las opiniones, gustos y elecciones de los demás aunque difieran de los míos.			
Trabajo pensando en esforzarme.			

Me propongo mejorar en: _____

_____

Evaluación del Bloque IV

Es tiempo de revisar lo que has aprendido después de trabajar en este bloque. Lee cada enunciado y marca con una palomita (✓) la opción que consideres correcta.

1. Para describir un proceso es muy importante:
   a) Mencionar claramente el orden de los pasos.
   b) Hacerlo varias veces hasta aprenderlo de memoria.
   c) Detallar el escenario donde ocurrió la demostración.
   d) Esmerarse en el acabado final que se le da al producto.

2. Al describir un proceso es común utilizar palabras como:
   a) Había una vez, hace muchos años, en un lugar muy lejano.
   b) Primero, después, en seguida, mientras tanto, finalmente.
   c) Por lo tanto, en resumen, según afirma, en conclusión.
   d) No obstante, sin embargo, en resumen, para finalizar.

3. "Necesitas gasa, ligas, tijeras, lápiz y regla." En la oración anterior, las comas sirvieron para:
   a) Separar elementos de una enumeración.
   b) Tomar aire al leer.
   c) No necesita comas.
   d) Adornar la presentación del texto.

4. Las palabras que pueden calificar a un príncipe como guapo, apuesto, arrogante, miedoso, atarantado, son:
   a) Artículos.
   b) Adverbios.
   c) Verbos.
   d) Adjetivos.

5. Señala en qué enunciado la palabra en cursivas es ejemplo de adverbio:
   a) Pinocho mintió *graciosamente*.
   b) La *valiente* Blancanieves consiguió sobrevivir en el bosque.
   c) El lobo no consiguió ninguna comida *abundante* aquella mañana.
   d) La *distraída* Caperucita se dedicó a recolectar flores.

6. Hansel gritó muy fuerte, pero su voz se perdió en el bosque. Si cambiaras la forma verbal *gritó* a tiempo presente quedaría así:
   a) Gritará
   b) Gritaba
   c) Gritaría
   d) Grita

7. Es más probable encontrar reportes de encuestas en:
   a) Periódicos y revistas.
   b) Recetarios.
   c) Novelas, cuentos y poemas.
   d) Diccionarios.

8. Las preguntas cerradas tienen:
   a) Un espacio para que la persona responda libremente.
   b) Todas las respuestas incorrectas.
   c) Una línea para anotar datos.
   d) Un número limitado de opciones de respuesta predeterminada.

9. Para elaborar las preguntas de la encuesta se utilizan:
   a) Signos de admiración.
   b) Signos de interrogación.
   c) Exclusivamente mayúsculas.
   d) Sólo signos y números.

10. El informe de la encuesta necesita las siguientes partes:
   a) Presentación, nudo, desenlace.
   b) Introducción, desarrollo, conclusiones.
   c) Personajes, escenarios, descripciones.
   d) Cuestionario que se aplicó y tabla de frecuencia.

PRÁCTICA SOCIAL DEL LENGUAJE 13

Compartir adivinanzas

En esta práctica social del lenguaje identificarás la función y las características de las adivinanzas para que inventes algunas, las escribas y las compartas con tus compañeros, familiares y amigos.

Lo que conozco

Lee las siguientes adivinanzas y trata de adivinar
de qué o de quién se trata.

Es papa y no se come,
no es pájaro y vuela,
es lote y no tiene tierra;
para más señas
tiene cola de trapo
y anda a la greña.

(El papalote)

Adivina, adivinanza.
¿Qué se pela por la panza?

(La naranja)

¿Qué cosa y cosa una caña hueca
que está cantando?

(La flauta)

Costal de versos y cuentos, México, Conafe, 1987, pp. 38-39.

Comenta con tus compañeros:

- ¿Sabes algunas adivinanzas? ¿Cuáles?
- ¿Cómo las conociste?
- ¿Te parece divertido decirlas?
- ¿Por qué?

Comparte las adivinanzas que conoces con tu grupo.

Las adivinanzas son textos de tradición oral, es decir,
se transmiten de persona a persona y de este modo se
conocen y comparten.

Leamos adivinanzas

En equipos, lean las siguientes adivinanzas y relacionen cada una con la ilustración que le corresponda.

Un pajarito pasó por el mar,
sin pico y sin nada
me vino a picar.

Patio barrido,
patio regado,
sale un viejito
muy esponjado.

Botón colorado,
barriga sin palo.

Un viejito, muy viejito,
envuelto en su ayatito.

En el cielo me he formado
blanco, redondo y helado,
caigo como caniquita
y voy contento botando.

Más delgada que una hoja,
pasa el río y no se moja,
no es como el Sol y la Luna
ni cosa alguna.

Costal de versos y cuentos, México, Conafe, 1987, pp. 98-99.

Elige a un compañero; juntos, lean las adivinanzas. Sin consultar la solución de cada una, respondan las preguntas.

Soy verde como el perico;
en tus manos soy muy manso
y si la boca te alcanzo
aunque no soy ave, pico.

(el chile)

Elva Macías y Felipe Ugalde, *Adivina, adivinanza*, México, SEP-Editorial Corunda, 2002.

- ¿De quién se trata?
- ¿Es un objeto, un animal o un vegetal?

Te tiro del pelo,
te enseño los dientes;
y cada mañana
tú lo consientes.

(el peine)

Elva Macías y Felipe Ugalde, *Adivina, adivinanza*, México, SEP-Editorial Corunda, 2002.

- ¿Saben de quién se trata?
- ¿Cómo lograron adivinarlo?

Piensa en las adivinanzas que conoces, las que te contaban en preescolar, en primero y en segundo, en las que han compartido tus compañeros y en las que has leído hasta ahora. Elige una, la que más te guste y escríbela en tu cuaderno.

Imagina que eres el autor de una adivinanza (un "adivinancero"), y que necesitas explicar cómo la compusiste. Escribe el proceso de creación debajo de la adivinanza.

Lee y comenta con tus compañeros y maestro la siguiente información

Las adivinanzas son un pasatiempo, a manera de acertijo, que alguien tiene que resolver mediante pistas. En las adivinanzas se describe algo de manera encubierta y que hace referencia a las características de objetos, personas, lugares, animales, etcétera. Las comparaciones y los juegos de palabras son los recursos literarios más utilizados en las adivinanzas, lo mismo que en los chistes, refranes y trabalenguas que conociste en otros grados.

En las adivinanzas, el juego de palabras y la rima que las acompañan facilita la comparación entre algo real y algo imaginario, otorgándole un nuevo significado, por ejemplo en la frase: "tengo *patas* y no me puedo *mover*, llevo la comida *a cuestas* y no la puedo *comer*", las palabras resaltadas dan las pistas para resolverla (mesa).

Localicen el juego de palabras que hay en las siguientes adivinanzas.

Parte la cáscara
y verás
si es o no es.

(La nuez)

León es
y cama
al revés.

(El camaleón)

Subrayen la comparación que hay en la siguiente adivinanza.

Tu perro es pájaro
de colorido y largo pico.

(El tucán)

Alberto Forcada, *Adi vino y se fue*, México, SEP-Norma Ediciones, 2006 (Libros del Rincón), pp. 32, 38, 52.

Los recursos literarios

Con un compañero lee las adivinanzas y traten de encontrar las respuestas. Si tienen dudas consulten a su maestro y compañeros.

Explica el juego de palabras que hay en cada una de las dos siguientes adivinanzas. Primero obsérvalas en lengua ch'ol, luego trata de identificar si ésta contiene repetición de sílabas, palabras o frases y, por último, lee su traducción al español.

Ña'tyan:
wukp'ej baki tyokol.
Jump'ejach jiñi ch'ujm.

(Si'bik)

Adivina, adivinanza:
siete agujeros…
una sola calabaza

(La cabeza)

Ña'tyañ chuki:
Buty'ul iñäk' mi iwejlel.
Wi'ñal mi icha'leñ ch'uyub ju'bel.

(Lakjol)

Adivina adivinando:
barriga llena volando.
Hambriento baja chiflando.

(El cohete)

José Antonio Flores Farfán, *Adivinanzas en lenguas mayas: ch'ol, tzeltal y q'anjob'al*, México, SEP-CIESAS, 2007, pp. 25, 39 (Libros del Rincón).

Compartan con sus compañeros y maestro el trabajo que realizaron con cada una de las adivinanzas. Expliquen qué hicieron y escuchen lo que hicieron sus compañeros para corroborar si obtuvieron los mismos resultados.

En tu cuaderno elabora una ficha en la que expliques el uso de comparaciones y juegos de palabras en las adivinanzas; recuerda anotar algunos ejemplos.

Las características de las adivinanzas

A partir de las actividades que han realizado hasta este momento, elaboren una lista con las características de las adivinanzas, consideren:

- ¿Cómo se utilizan la comparación y el juego de palabras?
- ¿Para qué sirven las descripciones en las adivinanzas?
- ¿Cuál es la finalidad de las adivinanzas?
- ¿Por qué son textos breves?

Clasificación de adivinanzas

Lleva algunas adivinanzas al salón. Pregúntale a la gente que conoces o búscalas en los libros de la biblioteca del salón o de la escuela. Escribe en una tarjeta cada adivinanza con su respuesta.

Comparte con tus compañeros las adivinanzas que escribiste en las tarjetas. En grupo, elijan la manera en que podrían clasificarlas, por ejemplo por temas (de animales, de objetos, entre otros) y luego en orden alfabético.

Tus propias adivinanzas

Escribe tus adivinanzas con ayuda de tu maestro. Consulta las veces que lo requieras las adivinanzas que has leído y analizado hasta el momento.

- Elige un objeto, una parte del cuerpo humano, un elemento de la naturaleza, un animal, etcétera.
- Define sus características y cualidades. Éstas pueden ser expresadas por medio de una comparación o un juego de palabras. Describe sin decirlo tal cual lo que el lector debe adivinar.
- Revisa la ortografía y la puntuación del texto.

Puedes guiarte por el siguiente ejemplo:

> Animal: el colibrí.
> Descripción: es de tamaño pequeño, sus alas son de varios colores tornasoles y brillantes, se alimenta del néctar de las flores.
> Comparación: como un juguete pequeñito con alas de tesoro colorido visita flor por flor.
>
> (El colibrí)

Producto final

Redacta la versión final de tu adivinanza. De ser posible, ilústrala. Reúnete con tus compañeros y haz lo siguiente:

- Lee tu adivinanza para que encuentren la respuesta.
- Reúne tu texto con el de tus compañeros e integren una compilación de adivinanzas.
- Puedes incluir las adivinanzas que clasificaron.
- Organicen una lectura en voz alta en la que participe el grupo y entre todos presten atención, sugieran y corrijan la entonación, el ritmo y la modulación de la voz.
- Decide con tu grupo cómo presentarán las adivinanzas a su comunidad. Pueden organizar una sesión exclusivamente para ese propósito. Inviten a sus familiares y compañeros de otros grupos.

Autoevaluación

Es tiempo de revisar lo que has aprendido después de trabajar en esta práctica. Lee cada enunciado y marca con una palomita (✓) la opción con la cual te identificas.

	Lo hago muy bien	Lo hago a veces y puedo mejorar	Necesito ayuda para hacerlo
Conozco las características de las adivinanzas.			
Empleo comparaciones y juegos de palabras al redactar adivinanzas.			
Adapto el ritmo, la entonación y la modulación al leer las adivinanzas.			

Marca con una palomita (✓) la opción que exprese la manera como realizaste tu trabajo:

	Lo hago siempre	Lo hago a veces	Necesito ayuda para hacerlo
Soy respetuoso cuando comparto adivinanzas.			
Aporto ideas al grupo y al equipo.			

Me propongo mejorar en: _____

_____

PRÁCTICA SOCIAL DEL LENGUAJE 14

Escribir un recetario de remedios caseros

En esta práctica social del lenguaje escribirás un recetario con remedios caseros que sirvan para aliviar malestares, o que sean útiles para mejorar la higiene y el cuidado personales, y lo colocarás en la biblioteca del salón.

Lo que conozco

Canta con tus compañeros la canción "El yerberito", que se encuentra a continuación.

El yerberito

Se oye el rumor de un pregonar
que dice así: "El yerberito llegó, llegó".

Traigo yerba santa pa' la garganta,
traigo del simón pa' la hinchazón,
traigo abre camino pa' tu destino,
traigo la ruda pa' el que estornuda.

También traigo albahaca
pa' la gente flaca,
el epazote para los brotes,
el vetiver para el que no ve,
y con esa yerba se casa usted.

Yerberooo

Traigo el abre camino pa' tu destino
(coro)
y con esta yerba se casa usted.
¡Ay!, yo traigo la ruda pal' que estornuda
(coro)
y con esta yerba se casa usted.
¡Ay!, que yo traigo yerba santa pa' la garganta
(coro)
y con esta yerba se casa usted.
¡Ay!, yo traigo la ruda pal' que estornuda
(coro)
y con esta yerba se casa usted.

Canción cubana, fragmento, Néstor Mili

Comenta con tus compañeros:

- ¿De qué trata la canción?
- De las hierbas mencionadas en la canción, ¿cuántas conocen?
- ¿Qué otras hierbas curativas conoces?
- ¿Cuáles utilizan en tu casa para preparar remedios caseros?
- ¿En dónde puedes consultar recetas de remedios caseros?
- ¿Cuál es la función de una receta?
- ¿Qué características tiene un recetario?

Un dato interesante

Un yerbero o una yerbera es una persona que tiene ciertos conocimientos (basados en su experiencia directa y en lo que aprendió de generaciones pasadas) de los usos benéficos y de las propiedades curativas de las hierbas, plantas, flores y frutos.
En nuestro país la medicina tradicional se basa en utilizar las plantas y hierbas para remediar algunos malestares pasajeros que presentan las personas.

Los malestares y los remedios caseros

Lee la traducción al español de un remedio casero escrita por un niño mazateco. Esta lengua se habla en Oaxaca, Veracruz y Puebla.

Na'tso, xka manzaniya kao naxo zoja
(Lengua mazateca)

Je na'tso xki le ra nsià.
Je na'tsó ti'tj'o ni'chia j'n li,
kua kia ni jaoya ngabasenle
kia se'jta ña ni jaon'na.

Xka manzaniya ski le
nz'oá. Se xo titjó kua kia yo'a
nandale.

Naxo soja xki le xkoan'ní
kia'nga jenda, base litro
nanda machen'le, se jin ngo
naxo soja, xi mani sejin naxa
ni kangi xi mani kia je nda xo
sejta ñani koala xkoan.

Sábila, manzanilla y rosa blanca
(Traducción al español)

La sábila sirve para el dolor de espalda. La sábila se asa en la lumbre, se parte a la mitad y se aplica en la parte adolorida.

La manzanilla sirve para el dolor de estómago. Se hierve la manzanilla y se toma su té.

La rosa blanca sirve para la vista cansada o llorosa. En medio litro de agua se echa una rosa blanca, se le agrega un gramo de sal en grano, se cuela y después de haber hervido bien se aplica en frío con un lavaojos.

Después de leer el texto responde cuáles son los malestares y los remedios que se presentan.

Pregunta sobre otros remedios que existan para la higiene y el cuidado personal, por ejemplo: darle brillo al cabello, mejorar la apariencia de la piel o fortalecer las uñas.

Anota en tu cuaderno la información obtenida y llévala a clase.

Comenten en grupo la información que recopilaron sobre algunos malestares que se pueden curar con remedios caseros.

Elaboren una tabla en un pliego de papel para registrar los malestares y los remedios que se mencionen en clase. Sigan el ejemplo.

Malestar o caso	Remedio casero
Ojos irritados.	Lavado con té de manzanilla.
Cabello reseco y sin brillo.	Masaje en el cuero cabelludo con una mezcla de aceite de almendras dulces y de ricino.
Dolor de estómago ocasionado por mala digestión.	Tomar té de manzanilla y de hierbabuena colado.
Dolor de muela ocasionado por caries.	Presionar un clavo de olor (especia de cocina) sobre la muela afectada.
Prevenir catarros recurrentes.	Consumir frutas ricas en vitamina C como: naranja, guayaba y limón.
Piel de manos reseca.	Frotar con una mezcla de aceite de cocina, jugo de limón y azúcar.
Aliviar la comezón producida por picaduras de insectos.	Masajear con hierba de Santamaría macerada en alcohol.

Los recetarios

Localiza libros, revistas o recetarios con remedios caseros en tu hogar o en alguna biblioteca. Si es posible pregunta a un adulto sobre otros remedios y qué malestares alivian.

Lleva a tu salón la información que encontraste. Revisa los recetarios y, junto con tus compañeros, comenten:

- ¿Para qué sirven los recetarios?
- ¿Cómo están escritos?
- ¿A qué otro tipo de texto se parecen?

Elaboren una lista con las características de un recetario y péguenla en un lugar visible.

Un dato interesante

Algunas hierbas y plantas medicinales pueden proporcionar un alivio temporal a los malestares físicos, pero también pueden afectar la salud si las personas hacen mal uso de ellas.

Consulta en...

Visita el portal Primaria TIC <http://basica.primariatic.sep.gob.mx/> ahí puedes conocer más acerca de este tema y del programa micompu.mx.

Participa con tu grupo en la elección de un remedio, escríbelo en forma de receta en un pliego de papel. La receta debe estar colocada en un lugar visible del salón durante todo el proyecto.

Observa el siguiente ejemplo.

Remedio para disminuir la hinchazón de pies

Ingredientes:

- Un litro de agua.
- Un puño (lo que se tome con la mano) de barbas de maíz, también conocidos como cabellos de elote.
- Dos cucharadas de sal.

Preparación:

1. Poner a calentar el agua en una olla tapada.
2. Apagar la lumbre cuando el agua hierva.
3. Agregar al agua los cabellos de elote y tapar la olla.
4. Disolver la sal.
5. Esperar a que la solución se entibie.

Modo de empleo y dosis:

Vaciar la infusión en un recipiente y sumergir los pies en ella durante quince minutos. Si el malestar continúa, acudir al médico.

Comenta con el profesor la importancia de los elementos de la receta: título, ingredientes, forma de preparación y cantidades en que debe aplicarse. Todos estos elementos deben estar escritos en un pliego de papel que también debe permanecer pegado en un lugar visible durante el proyecto.

Organízate con tus compañeros de equipo y responde en forma oral las siguientes preguntas. Tu profesor puede proporcionarte información que te ayude a contestar.

- ¿Para qué sirve el título de la receta? ¿Por qué es importante que lo tenga?
- ¿Es necesario que la receta tenga una lista de ingredientes y sus cantidades exactas? ¿Qué pasaría si no existiera la receta?
- ¿Los pasos están escritos en orden? ¿Por qué es importante que aparezcan así?
- ¿Qué pasaría si no se sigue el orden de los pasos de la receta?
- ¿Qué función tienen las ilustraciones? ¿Son importantes? ¿Por qué?

Mi diccionario

¿Sabes qué significa: un puño, una pizca, macerada, dosis, sustancias, disolver e infusión? En los remedios caseros que leerás durante este proyecto puedes encontrar palabras nuevas para ti. Investiga su significado y escríbelas en tu diccionario.

Al final del proyecto, revisa con tu grupo todas las palabras que anotaron en su diccionario durante el ciclo escolar. Lean algunas palabras y recuerden qué significan. Luego, compárenlas con la definición que escribieron.

Verbos en infinitivo

Analiza y comenta con tu profesor y compañeros cómo están escritos los verbos en el remedio casero para la hinchazón de pies:

- Identifica los verbos con que se inicia cada uno de los pasos de la receta.
- Observa la terminación de los verbos.

Generalmente, en las recetas y en los instructivos, para dar una indicación se utilizan los verbos que terminan siempre en *-ar, -er, -ir*. Estos verbos están escritos en *infinitivo*. En esta forma verbal, los verbos no están conjugados, por eso no indican quién o quiénes realizan la acción, ni el tiempo (presente, pasado o futuro) en que se realiza.

Remedio para disminuir la hinchazón de pies

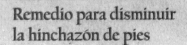

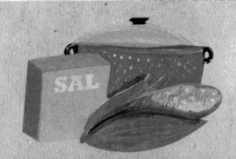

Ingredientes:

1 litro de agua

Un puño (lo que se tome con la mano) de barbas de maíz, también conocidos como cabellos de elote.

2 cucharadas de sal

Preparación:

1. Poner a calentar el agua en una olla tapada.

2. Apagar la lumbre cuando el agua hierva.

3. Agregar al agua los cabellos de elote y tapar la olla.

4. Diluir sal.

5. Esperar media hora para que los cabellos de elote suelten sus sustancias y la infusión se enfríe.

Modo de empleo y dosis:

Vaciar en un recipiente y sumergir los pies durante quince minutos. Si el malestar continúa, acudir al médico.

¡A jugar con las palabras!

Lee con tus compañeros las siguientes indicaciones y después llévalas a cabo:

- Tu profesor llevará al salón tarjetas preparadas para todos los alumnos del grupo. En cada una de ellas habrá escrito un verbo en infinitivo y le dará una tarjeta a cada uno. No la muestres a nadie.
- Bajo su dirección, el grupo se organizará en dos equipos.
- El pizarrón se dividirá en dos partes, cada una de ellas estará designada para escribir lo que cada equipo diga.
- Los integrantes de un equipo, por turnos, harán mímica para representar el verbo que le tocó a cada uno.
- Un integrante del equipo contrario debe identificar el verbo que se está representando y lo escribirá en el pizarrón, en la parte que le corresponde a su equipo, y para

hacerlo tendrá quince segundos.
- En el turno siguiente, la mímica la hará un integrante del equipo contrario. Continúen así hasta que a todos los participantes les haya tocado su turno.
- Al final, el profesor revisará las listas de verbos y otorgará a cada equipo un punto por cada verbo escrito en infinitivo.
- Gana el equipo que acumule más puntos.

Ahora te corresponde escribir una receta para preparar un remedio casero. Las recetas son un tipo de instructivo que indica de forma breve los pasos que has de seguir para preparar algo. A veces los pasos se presentan numerados.

Como ya has podido observar, las recetas de remedios caseros, además de tener un título, también indican los ingredientes y cantidades que se necesitan y la forma de preparación y la cantidad en que debe tomarse o aplicarse el remedio. ¡No olvides esta información! Te será útil para escribir tu receta.

¡A escribir las recetas!

Para comenzar, practica con el siguiente remedio casero escrito por un niño. Organízate con tus compañeros en equipos para escribir entre todos el remedio en forma de receta.

Para escribirla, puedes tomar como guía la receta que tu profesor escribió en el pliego de papel. Toma en cuenta los elementos incluidos y la manera en que está escrita.

Un remedio para embellecer el cabello seco

Con una cucharada de miel, una de aceite de oliva, una de agua y medio aguacate maduro se forma una pasta cremosa. Se aplica de manera uniforme en el cabello. Se retira después de quince minutos, lavando el cabello. Se puede aplicar una vez por semana.

Compara el trabajo de tu equipo con el de los otros equipos. Escucha los comentarios del profesor y de tus compañeros para que puedas mejorar tu receta. Revisa que tu receta tenga lo siguiente:

- Los ingredientes necesarios, para qué sirven y el procedimiento para preparar el remedio, así como la dosis y forma de uso.
- Las indicaciones escritas de manera ordenada, clara y breve.
- Los verbos empleados en las instrucciones escritos en infinitivo.
- Mayúsculas al inicio de cada enunciado y punto al final.
- Palabras escritas correctamente.
- Relación entre el texto y la ilustración.

Guarda la versión final para que también la puedas usar como modelo en la redacción de tus siguientes recetas.

Identificar la ortografía de las palabras a partir de su familia

¿Qué tienen en común la palabra receta con las palabras *recetario* y *recetar*?

Como recordarás, las palabras de una familia generalmente conservan la ortografía, puesto que comparten una misma raíz. Comenta con tus compañeros y profesor qué parte de la palabra *receta* se conserva en la familia.

De las palabras que encontraste, ¿cuál es el nombre del libro que contiene únicamente recetas? Escríbelo:

Como ya cuentas con los elementos necesarios, puedes comenzar a integrar con tus compañeros un recetario de remedios caseros.

Producto final

Para realizar un recetario de remedios caseros es necesario que retomes los remedios que escribiste al inicio de este proyecto. Es importante que tu receta sea para una dolencia de la que no se ocupen tus compañeros.

Sigue estos pasos:

- Escribe el remedio en forma de receta, utiliza como modelo las recetas que has escrito antes.
- Revisa y mejora tu texto. Sigue el mismo procedimiento que utilizaste para revisar la receta que escribiste antes con tu equipo. Elabora dibujos para ilustrar tu receta.
- Entrega a tu maestro la versión final para que la reúna con las de tus compañeros.
- Con tu grupo, decide el orden en que deberán aparecer las recetas en el recetario: puede ser por orden alfabético o por el tipo de malestar que curan.
- Organízate con tus compañeros para que, con la guía del profesor, se designe a los niños que se encargarán de elaborar las pastas del recetario, la portada y el índice.
- Cuando esté listo integra el recetario en la biblioteca del salón, así podrás llevarlo a casa mediante el préstamo a domicilio. ¿En qué sección de la biblioteca lo colocarás?

Autoevaluación

Es tiempo de revisar lo que has aprendido después de trabajar en esta práctica. Lee cada enunciado y marca con una palomita (✓) la opción con la cual te identificas.

	Lo hago muy bien	Lo hago a veces y puedo mejorar	Necesito ayuda para hacerlo
Identifico la función y las características de los recetarios.			
Escribo un procedimiento en orden.			
Empleo verbos en infinitivo para escribir indicaciones.			

	Lo hago siempre	Lo hago a veces	Necesito ayuda para hacerlo
Utilizo la información que me proporcionan otras personas.			
Reconozco que mi participación es importante en el trabajo de equipo.			

Me propongo mejorar en: _____

_____

Evaluación del Bloque V

Es tiempo de revisar lo que has aprendido después de trabajar en este bloque. Lee cada enunciado y elige la opción que consideres correcta.

1. La función de las adivinanzas es:
   a) Describir algo para descubrir qué es.
   b) Narrar un acontecimiento.
   c) Informar sobre un tema.
   d) Hacer que las palabras rimen.

2. Señala cuál es la metáfora en la siguiente adivinanza:
   Una caja muy chiquita,
   blanquita como la cal,
   todos la saben abrir,
   nadie la sabe cerrar.
   (El huevo)

   a) Una caja muy chiquita
   b) Blanquita como la cal
   c) Todos la saben abrir
   d) Nadie la sabe cerrar

3. Señala cuál es el juego de palabras en la siguiente adivinanza:
   Lana sube,
   lana baja
   y a lo que toca raja.
   (La navaja)

   a) Lana sube
   b) Lana baja
   c) Y a lo que toca raja
   d) Toca raja

4. Para elaborar un recetario de remedios caseros, lo mejor es:
   a) Preguntar a parientes y vecinos sus recetas más efectivas.
   b) Consultar un médico.
   c) Buscar en un libro de poemas, pues es sabido que curan el alma.
   d) Inventar una mezcla de sustancias, a ver qué ocurre.

5. Lo más importante de una receta, para que esté bien escrita, es que:
   a) Narre la historia del platillo y los lugares donde pueden adquirirse los ingredientes.
   b) Sus instrucciones sean precisas y claras.
   c) Especifique la época del año en que puede elaborarse.
   d) Sea muy famosa.

6. Para asegurarte de cómo se escribe una palabra puedes acudir a la raíz de su familia de palabras porque:
   a) El diccionario no tiene esa palabra.
   b) Te indican dónde acentuar.
   c) Te pueden servir para hacer rimas.
   d) Las palabras de una familia conservan una ortografía semejante.

Bibliografía

Alvarado, Maité *et al.*, *El nuevo escriturón. Curiosas y extravagantes actividades para escribir.* María Sánchez de Tagle y Gerardo Cirianni (adap.), Óscar Rojas y Gerardo Lammers (ilus.), México, SEP, 1994.

Barbosa Cisneros, María Guadalupe *et al.*, *Once estampas de mujeres mexicanas*, México, Documentación y Estudios de la Mujer, A.C., 2002.

Calaprice, Alice, *Querido profesor Einstein: correspondencia entre Albert Einstein y los niños*, Barcelona, Gedisa, 2003.

Cortázar, Julio, *Octaedro*, Madrid, Alianza, 1974.

Darío, Rubén, *Prosas profanas y otros poemas*, México, Viuda de Charles Bouret, 1901.

Ercilla y Zúñiga, Alonso de, *La Araucana*, Madrid, Imprenta de D. M. de Burgos, 1928.

Garibay, Ángel María, *La literatura de los aztecas*, México, Joaquín Mortiz, 1964.

Lee, Claudia M. (comp.), *A la orilla del agua y otros poemas de América Latina*, México, SEP-Artes de México, 2003 (Libros del Rincón).

Mistral, Gabriela, *Desolación*, Buenos Aires, Espasa-Calpe, 1951 (Austral, 1002).

Molloy, Sylvia, *Acto de presencia. La escritura autobiográfica en Hispanoamérica*, José Esteban Calderón (trad.), México, El Colegio de México-Fondo de Cultura Económica, 1996.

Orozco, José Clemente, *Autobiografía*, México, Ediciones Occidente, 1945.

Ramírez Castañeda, Elisa (adap.), *Creencias, dolencias y remedios*, México, SEP-Conafe, 2002 (Libros del Rincón).

Reed Torres, Luis y María del Carmen Ruiz Castañeda, *El periodismo en México: 500 años de historia*, 3ª ed., México, Edamex, 1995.

Vega, Garcilaso de la, *Obras de Garcilaso de la Vega*, Madrid, Librería de Sancha, 1821.

Zorrilla, José, *Cantos del trovador. Obras de José Zorrilla*, París, Baudry, 1852.

Sitios de internet

Uribe, Ceferino, "Reptiles"; en Biblioteca Digital del ILCE, <http://bibliotecadigital.ilce.edu.mx/sites/colibri/cuentos/insectos/htm/sec_3.htm>.

Créditos Iconográficos

Español. Tercer grado
se imprimió en los talleres de la Comisión Nacional de Libros de Texto Gratuitos,
con domicilio en Av. Acueducto No. 2, Parque Industrial Bernardo Quintana,
C.P. 76246, El Marqués, Qro., el mes de abril de 2014.
El tiraje fue de 2'897,000 ejemplares.
Sobre papel offset reciclado
con el fin de contribuir a la conservación
del medio ambiente, al evitar la tala de miles de árboles
en beneficio de la naturaleza y los bosques de México.

Impreso en papel reciclado